АЛЕКСАНДРА
МАРИНИНА

КОРОЛЕВА ДЕТЕКТИВА

АЛЕКСАНДРА МАРИНИНА

ЛИЧНЫЕ МОТИВЫ

ТОМ 1

ЭКСМО

МОСКВА
2011

УДК 82-3
ББК 84(2Рос-Рус)6-4
М 26

Разработка серии *Geliografic*

Иллюстрация на переплете *И. Хивренко*

Маринина А.

М 26   Личные мотивы : роман в 2-х т. Т. 1 / Александра
Маринина. — М. : Эксмо, 2011. — 352 с. — (Королева
детектива).

ISBN 978-5-699-46877-5

Прошлое неотрывно смотрит в будущее. Чтобы разобраться в се-
годняшнем дне, надо обернуться назад. А преступление, которое рас-
следует частный детектив Анастасия Каменская, своими корнями явно
уходит в прошлое. Кто-то убил смертельно больного, беспомощного
хирурга Евтеева, давно оставившего врачебную практику. Значит, была
какая-та опасная тайна в прошлом этого врача, и месть настигла его на
пороге смерти. Месть? Впрочем, зачастую под маской мести прячется
элементарное желание что-то исправить, улучшить в своей жизни. А
фигурантов этого дела обуревает множество страстных желаний: жаж-
да власти, богатства, удовлетворения самых причудливых амбиций...
Словом, та самая, столь хорошо знакомая Насте, благодатная почва
для совершения рискованных и опрометчивых поступков. Но ведь где-
то в прошлом таится то самое роковое событие, вызвавшее эту лавину
убийств, шантажа, предательств. Надо как можно быстрее вычислить
его и остановить весь этот ужас...

УДК 82-3
ББК 84(2Рос-Рус)6-4

ISBN 978-5-699-46877-5

Глава 1

Сегодня воскресенье, а завтра День космонавтики. Вот так бывает: закончили работу аккурат накануне праздника, и можно ехать домой. Конечно, этот праздник — не выходной день, но все-таки... В детстве Валерий Стеценко хотел стать космонавтом и день 12 апреля любил больше всего в году, даже больше своего дня рождения, даже больше Нового года. Книжки читал про космос, физикой увлекался, спортом занимался. Да что теперь вспоминать! Ничего из этого ему потом не пригодилось. Хотя как сказать... Если бы не хорошая физическая форма, вряд ли он теперь, в свои «за полтинник», мог бы работать в бригаде строителей-ремонтников, часами стоять на стремянке с поднятыми вверх руками, выравнивая потолки и стены и украшая их разнообразным декором. Народ-то теперь пошел со вкусом к ампиру да разным изыскам, просто побелить потолок и наклеить обои — это уже мало кому интересно, хоть дешевеньким, картонным, в подмосковном цеху сляпанным, а укрась, будь любезен.

Эту квартиру в доме, стоящем в двухстах метрах от МКАД, их бригада делала пять месяцев, измучились, пока угождали хозяевам, которые сами плохо понимали, чего хотят, и без конца требовали «сделать по-другому». Несколько дней назад поняли, что свет в конце тоннеля наконец забрезжил, работа заканчивается, и всей бригадой решили поднапрячься, сил не жалеть, со временем не считаться, но к воскресенью уже разделаться с ненавистным объектом, а заодно и с хозяевами, от которых тошнило. Так-то бригадир режим труда соблюдал, выходные рабочим давал, чаще всего в субботу и воскресенье, но порой и среди недели, смотря как дело двигалось да в зависимости от подвоза материалов, и Валерий почти каждую неделю на день-два мотался домой, в Тверь, а в эти выходные пришлось работать, но зато теперь у него впереди отдых, сон и еда. В бригаде, кроме бригадира, ни одного мо-

сквича, у всех семьи в других городах, все со-
скучились, хотели домой к родным, да и устали
изрядно. Работали часов до двух ночи, к один-
надцати заканчивали «громкие» работы, чтобы
соседи не возникали, и еще три часа возились
потихоньку, спать оставались там же, на объ-
екте, ложились на надувные матрасы прямо в
одежде, без постельного белья, вскакивали в
семь, быстро пили чай с бутербродами и при-
нимались за дело. Очень уж всем хотелось по-
скорее закончить. Вот и закончили, слава богу,
как раз к середине дня в воскресенье, и можно
ехать домой.

После того как бригадир осмотрел объект
и принял работу, посидели, как водится, рас-
слабились, отпраздновали. Уже «слегка нетрезвый», Валерий Стеценко поехал на квартиру,
которую снимал вместе с товарищами по бригаде братьями Руссу, помыться, переодеться да
вещи собрать. Братья тоже поехали, решили с
квартиры на окраине Москвы вместе двигать в
сторону вокзалов: им было по пути, молдаване
Руссу несколько лет назад осели со своими семьями в Смоленске, и ехать им нужно было с
Белорусского вокзала, а Стеценко после отсид-
ки жил в Твери, и его поезда уходили с Ленин-
градского. Так что и до метро вместе доберутся,

и на метро проедутся, сначала по радиальной ветке, потом по Кольцевой.

Нетрезвый-то он нетрезвый, но деньги считать Валерий Стеценко всегда умел, прошлое у него такое, что без аккуратного счета денег никуда, вот навык и остался, не рассосался за годы, проведенные в колонии, да за долгое время безденежья и случайных приработков. Лучше всего ехать питерским поездом в час пятьдесят три ночи, там есть сидячие места, которые стоят всего-то сто восемьдесят пять рублей, то есть практически даром можно доехать. Есть и другие ночные поезда, их полно, но не в каждом найдется не то что сидячий, а даже и плацкартный вагон, в котором место стоит уже пятьсот двадцать три рубля, то есть существенно дороже, а в купе ехать — это ж вообще разориться можно, больше 900 рублей билет. А зачем ему отдельная полка в купе или в плацкартном? Ехать-то всего ничего, он, и сидя в креслице, отлично доедет. Главное, чтобы билеты были на тот поезд, где сидячие места есть. А уж если не будет, то придется платить за плацкарту или, того хуже, за купе, чего ему совсем не хочется. Деньги за пять месяцев работы он заработал вполне приличные, но их беречь надо, кто его знает, сколько времени придется в Твери сидеть, пока бригадир новый заказ не надыбает и не позвонит, дескать, приезжай, Валерка, работа не ждет. Может, уже через неделю раздастся звонок, Стеценко даже отоспаться и отожраться как следует не успеет, а может, и через три месяца. Так что экономить придется с самого начала. С другой стороны, как тут сэкономишь, когда дочка ждет не дождется папку, который привезет деньги и начнет покупать подарки, не говоря уж о самом необходимом? Дочку маленькую Валерий любил и баловал ее, как мог.

Но все же надо постараться лишнего не тратить. И хотя до поезда было еще очень много времени, он все равно решил ехать пораньше, вместе с братьями Руссу, хотел часам к двенадцати ночи успеть на вокзал. Лучше он подождет свой поезд, чем пропустит вообще все поезда, а на час пятьдесят три сидячих мест не останется. Можно, в конце концов, и в ноль тридцать девять уехать, и в ноль пятьдесят, и в час, и в час двадцать. Другое дело, что если уехать своим любимым поездом в час пятьдесят три, то в Твери на вокзале будет ждать Кот, Сенька Котов, который каждую неделю в ночь с воскресенья на понедельник встречает свою зазнобу, возвращающуюся из Москвы всегда именно этим поездом. Кот на машине, и он обязательно подбросит Стеценко до дома и денег не возьмет, это уж сколько раз проверено. А если другим поездом приехать, то придется или Кота ждать, болтаться по платформе, или платить бомбиле. А как же экономия?

Братья Руссу после недавних взрывов в московском метро ездить в подземке побаивались, страх еще не прошел, но ехать-то надо, куда ж денешься, и они, чтобы не думать о страшном, всю дорогу болтали, не закрывая рта. Стеценко даже злиться начал, от выпитого в голове шумело, намешали опять водку с колой для пущего эффекта, и болтовня братьев его раздражала. Еле дождался, когда доедут до «Белорусской» и Руссу выйдут из вагона. Ему самому еще до «Комсомольской» пилить, но это недолго, всего три остановки.

— Валерка, ты, что ли?

Голос раздался прямо над ухом и, несмотря на грохот поезда, почти оглушил Валерия. Он удивленно обернулся. Мужик какой-то, одет просто, недорого, чтобы не сказать — бедновато, просторная куртка размера на два велика, это Стеценко определил на глаз, а глаз у него был наметанным еще с тех давних пор, когда он крутился в среде валютчиков и фарцовщиков и отлично разбирался в шмотках, в фирмах и размерах. И брюки у мужика какие-то мешковатые и не особо чистые. А вот рожа смутно знакомая, но откуда Валерий его знает — так сразу не вспомнить.

— Ну, я, — осторожно ответил он. — А ты что за хрен с горы?

— Неужели не узнаешь? — весело удивился мужик. — Хотя и правда, столько лет прошло. Ну напрягись, родной, напрягись, вспомни.

И Стеценко вспомнил. Не сказать, что воспоминание было приятным, но все-таки знакомый, куда ж денешься. Даже имя вспомнил — Геннадий. А вот фамилию припомнить не мог, какая-то простая фамилия, типа Иванов или Сидоров.

— Ну, как ты? Где живешь, чем дышишь? — оживленно продолжал мужик по имени Геннадий.

Хвастаться Стеценко особо нечем, но и скрывать незачем, все равно этот Геннадий все самое плохое и неприглядное про Валерия и так знает. Скупо поведал, не вдаваясь в подробности, что живет в Твери, работает в Москве в строительно-ремонтной бригаде, зарабатывает сколько может, одним словом, на жизнь не жалуется, но могло бы быть и получше, если бы повезло.

Геннадий одобрительно хлопнул его по плечу:

— Хорошо устроился, молодца. Знаешь что, а давай пойдем куда-нибудь выпьем, отметим встречу, все-таки столько лет не виделись.

Выпить, конечно, хотелось, особенно на халяву. Но, с другой стороны, поезд же... Если не успеть на час пятьдесят три, то вообще неизвестно, когда он теперь домой попадет.

— У меня поезд, — неуверенно проблеял Стеценко.

— В котором часу?

— В час пятьдесят три последний уйдет.

— Ну, ты хватил! — рассмеялся Геннадий. — Еще только половина двенадцатого! Да ты десять раз даже пешком успеешь, смотри, мы уже к «Проспекту Мира» подъезжаем, оттуда до Каланчевки рукой подать. Давай, пошли, дернем за встречу.

— Да куда ж я в таком виде... — засомневался Стеценко.

Вид у него был для поезда в самый раз, а вот ежели в ресторан, то никуда не годился.

— Ты что ж думаешь, я тебя в кабак приглашаю? Извини, брат, у меня таких бабок нет, я сам на пенсию живу, на нее не пожируешь. Но у меня, как говорил известный сатирик, с собой было.

Геннадий подмигнул и показал бутылку, торчащую во внутреннем кармане необъятной куртки.

— Сейчас найдем с тобой укромный уголочек, какую-нибудь детскую площадку, раздавим бутылек, и поедешь ты в свою Тверь к... Кто там у тебя? Есть кто-нибудь? Жена? Или просто баба?

У Стеценко была «просто баба», но он уже столько лет жил с ней и растил общего ребенка, дочку, что привык считать ее женой.

— Жена, — нехотя выдавил он.

— Ну и славно. Пойдем, — Геннадий потащил его к открывшимся дверям, — поднимем рюмку за ее здоровье.

«Зачем я с ним иду? — мелькнуло в голове у Валерия. — На кой черт он мне сдался? Век бы его не видеть и не вспоминать. Выпить охота, надо добавить, а то от водки с колой хмель дурной, грязный какой-то... Может, и правда полегчает. И тратиться не надо. Какая-никакая, а экономия выходит».

Они поднялись по эскалатору и вышли на улицу. От метро Геннадий повернул влево и повел Стеценко мимо аптеки, ювелирного салона и цветочного магазина. Начался забор, и Валерий подумал: «Наверное, сюда поведет.

Там, за забором, двор какой-то». Но Геннадий продолжал идти вперед.

— Далеко идти-то? — недовольно спросил Стеценко.

— Не бойся, я места здешние знаю, — ухмыльнулся Геннадий. — Шагай за мной.

Валерий на всякий случай вгляделся в глубину двора за забором и понял, что там находится какой-то офис, он даже вывеску почти разглядел, вроде фонд какой-то и ресторан. И правда, здесь им делать нечего.

Началось длинное одноэтажное строение с уже закрытыми магазинчиками и забегаловками, а Геннадий все шел и шел.

— Слышь, там уже поворот виден, — робко заметил Стеценко, которому в этот момент ну просто нестерпимо захотелось выпить, то ли от тягостных воспоминаний, то ли водка с колой продолжали так действовать. Скорей бы уж дойти, налить и накатить.

— Нам туда и надо, — невозмутимо отозвался Геннадий.

Свернули в Грохольский переулок, перешли на противоположную сторону и метров через двести примерно дошли до прохода в обсаженный деревьями дворик перед домом, на углу которого висела реклама какого-то ортопедического салона.

— Здесь, что ли? — с надеждой спросил Валерий.

— А что? Отличное место. Там в уголке беседка, видишь?

Валерий напряг зрение — освещение было только по периметру дома, а дворик с деревьями и беседка тонули в полной темноте. Беседку он с трудом, но разглядел, и ему показалось, что внутри кто-то шевелится.

— Там кто-то есть.

— Да бомжи, ясное дело, — махнул рукой Геннадий. — Они нам не помеха. Да и спят уже, как пить дать.

Они пробрались к беседке, в которой действительно устроились на ночлег парочка немытых на вид и жутко вонючих субъектов.

— Эй, мужики, — Геннадий пошевелил храпящие и сопящие тела ногой, — вставайте.

Один из бомжей проснулся и подал голос. Лица его в темноте было не видно, Стеценко даже не смог определить, старый он или не очень.

— Чего надо?

— Свалите отсюда, нам с другом посидеть надо, встречу обмыть. — Геннадий достал из куртки две бутылки пива и протянул бомжу. — Идите выпейте за наше здоровье, освободите территорию.

Стеценко поразился тому, как много нужного и полезного находится в карманах этой необъятной куртки: не только бутылка водки, но и пара пива. Наверное, там и закусь какая-никакая имеется. Он повеселел. Правда, бомж вызвал у него вполне здравые опасения: на каком основании он должен освобождать законно занятую территорию каким-то пришельцам? Сейчас начнет бузить, в драку полезет... Но бомж бузить и не собирался, две бутылки пива возымели свое действие, и он принялся будить напарника:

— Вставай, Корявый, да вставай же ты, нам тут подвалило... Давай вставай, поползли за дом, ща похмелимся малек...

Второй бомж дал себя увести. Надо же, как здесь все-таки темно, удивился Валерий, вроде были только что два человека, а шаг сделали — и как растворились в пространстве, будто и не было их. Чудеса, да и только.

Сели на скамеечку по периметру беседки, Геннадий извлек из кармана бутылку и набор складных стаканчиков, который, оказывается, тоже уместился в карманах его безразмерной куртки. Налили. Стеценко выпил сразу, даже тост ждать не стал, хотя точно видел: Геннадий собрался какие-то слова произнести. Тот и вправду стаканчик поднял, уже было рот открыл, но вдруг поставил стаканчик на скамейку и нагнулся, стал что-то рассматривать.

— Ты чего? — удивился Валерий.

— Да тварь какая-то по ноге пробежала, крыса, что ли. Не видишь?

Стеценко нагнулся, щелкнул зажигалкой и, подсвечивая себе, начал разглядывать землю под скамейкой. Никакой крысы он не увидел, только пустую сигаретную пачку, с десяток окурков, несколько одноразовых стаканчиков, опорожненную бутылку и порванную обертку из-под мороженого. Больше он не видел ничего. Вообще ничего.

* * *

Выходящая на северную сторону стена была полностью стеклянной, больше никаких существенных перестроек в этом небольшом домике Ардаев не заметил. Ну, насчет стеклянной стены — это понятно, все-таки хозяин дома не кто-нибудь, а художник, и ему нужно помещение под мастерскую. Но почему он все остальное-то не переделал? Денег, что ли, не хватило? Да нет, Ардаев по своим каналам наводил справки, доходы у этого мазилы доморощенного более чем приличные, уж на переделку-то дома всяк должно хватить. Неужели жмется? С другой стороны, вон машина его стоит на участке прямо под открытым небом, никакого тебе гаража или даже простенького навеса, а ведь такая машина немалых денег стоит, уж это-то Ардаеву отлично известно. Получается, не бережет хозяин имущество. А разве так бывает, чтобы жмот — да не берег свое кровное? Если хозяин дома жмот, то это плохо, совсем плохо. Не катастрофа, но определенные трудности это обстоятельство создаст. Да когда же он наконец свалит?

Ардаев сидел в машине, припаркованной за два участка от дома художника, и ждал, когда хозяин уедет. Он предварительно навел нужные справочки и собрал кое-какую информацию, потому и знал, что домработница художника сегодня выходная, поскольку выходной ей был отведен на каждую субботу, а сам художник приглашен на прием по случаю крестин очередного ребенка очередного криминального авторитета, который задался целью выглядеть респектабельно и занять свое место в рядах светской элиты. Гости званы к трем, сейчас уже двадцать минут третьего, а художник, ни дна ему ни покрышки, все сидит дома

18

и не уезжает. Видно, правила хорошего тона не про него писаны.

В половине третьего художник Борис Кротов показался на крыльце, и Ардаев презрительно поморщился. В джинсах, в джемпере и распахнутой куртке — это он на прием по случаю крестин в таком виде собрался? Ну дает парень! Или у него и в самом деле с деньгами проблемы? А что, вполне может быть, все заработанное угрохал на мастерскую и дорогую машину, мужик ведь — он все равно мальчишка до самой старости, ему игрушки нужны, а на приличную одежду уже не хватило. Если так, то дело совсем плохо. Нищий художник Ардаеву не нужен.

Выждав еще минут десять после отъезда хозяина, Ардаев запер свою машину и неторопливо двинулся к пустому дому. Запас отмычек у него был солидный, он готовился к серьезной кропотливой работе и даже был слегка разочарован тем, какой простой замок оказался в дверях. Войдя, он аккуратно прикрыл за собой входную дверь и отправился осматривать помещение. То, что он ищет, скорее всего, имеет совсем маленький размер, не может оно быть большим ни по каким соображениям. И если оно здесь есть, то надо быстро определиться, где в первую очередь искать. И искать надо так, чтобы никому и в голову не пришло, что здесь был посторонний. Времени у него достаточно, так что можно не торопиться. Да и площадь поиска не сказать чтоб уж очень большая: кухня, гостиная и мастерская — на первом этаже, спальня и просторный санузел — на втором. Правда, Ардаев еще заметил лестницу, ведущую на чердак, это тоже место перспективное. Но, с другой стороны, как сказать: если художник знает ценность искомого, то оно должно находиться только в спальне, не в мастерской же это хранить и не в гостиной, где постоянно толкутся посторонние. А если он ценности этого не представляет, то оно, вероятнее всего, валяется именно на чердаке в куче старого хлама. Вообще судьба этого полностью неопределенная: могли хранить как зеницу ока, а могли и выбросить много лет назад как предмет, не имеющий никакой практической ценности. А если с третьей стороны посмотреть, то непонятно, зачем хранить это как зеницу ока и не пользоваться? Можно было бы хорошие бабки срубить, если с умом распорядиться. Значит, скорее всего, значение этого не оценено, и оно спокойно валяется в груде старых ненужных предметов или в крайнем случае лежит в спальне как памятный сувенир.

Он решил начать со спальни художника. Ничего особенного, все очень просто и функционально: широкая кровать, прикроватная тумбочка, на которой лежат книги стопкой, из каждой торчит закладка, словно хозяин читает несколько книг одновременно. А может, дочитывает до середины, бросает, ленится поставить на место и начинает новую, так тоже случается. Книжные полки, кресло, комод с нижним бельем и носками, платяной шкаф. На стене две фотографии в рамках: на одной молодая, очень красивая женщина, которую Ардаев, разумеется, сразу же узнал, на второй — эта же женщина с мальчиком лет трех-четырех, в котором с большим трудом можно было бы распознать нынешнего хозяина этого дома. Во всяком случае, Ардаев ни за что не узнал бы его, если бы не знал совершенно точно: это он и никто другой.

Он не устоял перед искушением и открыл дверцы платяного шкафа — Ардаев питал непреодолимую слабость к дорогой стильной одежде и вообще к вещам, которые принято нынче называть статусными. Однако содержимое шкафа его разочаровало: в нем на нескольких плечиках висели джемпера, сорочки и джинсы, костюма же не было вовсе. Ни одного. А ведь Ардаев был уверен, что их там как минимум пять... На полках лежали постиранные и выглаженные футболки. Все очень обыкновенно, никакой статусности. Ардаев присмотрелся и понял, что в одежде художника царит полный разнобой, дешевые, купленные в первом попавшемся магазине или на вещевом рынке вещи соседствуют с джемперами «Миссони», майками «Версаче» и джинсами «Прада». На нижней полке шкафа стояла обувь, являвшая собой столь же эклектичное собрание дешевых и неимоверно дорогих, брендовых, экземпляров.

Где в этой комнате можно хранить памятный сувенир? Не в ящиках же с майками и трусами! Только либо в прикроватной тумбочке, либо на крышке комода, либо среди книг. А если это хранится как невероятная ценность, то, скорее всего, либо в ящике комода, либо как раз таки в глубине полок, под теми самыми футболками и джемперами или под стопками постельного белья. Опыт у Ардаева был большой, в проведении таких вот негласных обысков он в свое время поднаторел изрядно, посему поиск много времени не занял, хотя проводился тщательно и аккуратно. Ничего.

Единственное, что ему удалось найти, — это свидетельство о смерти матери художника и документы на захоронение. Если бы он хранил искомую вещь как памятный сувенир, то она лежала бы здесь же. Но ее здесь не было.

Ардаев покинул спальню и по узкой, не вызывающей доверия лестнице полез на чердак, мысленно чертыхаясь по поводу грязи и пыли, от которых непременно пострадают его дорогие брюки и фирменная обувь. Однако вопреки ожиданиям на чердаке царили идеальные порядок и чистота, это на самом деле была просто еще одна комната, весьма похожая на гостевую спальню, раскладной диван, тумбочка, столик, кресло, светильники и даже электрические розетки на стенах. Однако один предмет мебели все-таки привлек внимание Ардаева — тот самый раскладной диван, во внутренний ящик которого так удобно складывать либо постельное белье, либо старые ненужные вещи. Он поднял сиденье и с удовлетворением убедился, что не ошибся: диван действительно служил хранилищем старых вещей. Здесь лежали книги, ржавые гантели, альбомы с карандашными набросками, две стеклянные вазы с уродливыми рисунками, какие-то папки. Именно папки в первую очередь заинтересовали Ардаева.

Он жадно кинулся развязывать тесемки и просматривать их содержимое, но того, что искал, все равно не нашел. Да, здесь были поздравительные открытки, которые когда-то присылали или дарили матери художника по случаю дня рождения, 8 Марта или Нового года, здесь даже была старая записная книжка художника Кротова... Но это все не то, не то! Ардаев на всякий случай внимательно пролистал записную книжку и еще раз убедился: нет, не то. Это не оно.

Вздохнув, он спустился на первый этаж и решил на всякий случай осмотреть гостиную и мастерскую. Кто их знает, этих художников, творческие люди — они ведь все со странностями, может быть, та вещь, которая так нужна Ардаеву, хранится как раз там, где постоянно бывают посторонние. Нет, в гостиной не оказалось ни одного места, подходящего для хранения такой вещи, как бы ее ни рассматривать — как величайшую ценность или просто как памятный сувенир. Зато его взгляд сразу зацепился за небрежно брошенный на кресло пиджак от «Кензо», на котором с полным осознанием своего права валялась огромная рыжая пушистая кошка. В первый момент Ардаев буквально помертвел от такого кощунства, потом почувствовал, как в нем поднимается и начинает клокотать ярость: это до какой же степени пренебрежительно надо относиться к деньгам, чтобы купить невероятно дорогой пиджак, бросать его в кресло и позволять кошке на нем спать! Судя по обилию шерстинок на всей поверхности пиджака, валялся он в этом кресле не первый день и кошка его уже основательно обжила. И как это вообще возможно при наличии домработницы? Куда она смотрит? Она что, совсем мышей не давит? За что же этот художник платит ей деньги?! Платить за такую работу — все равно что выбрасывать деньги на ветер. Безобразие!

А вот высокого стола, за которым удобно было бы кушать, в гостиной нет, только огромных размеров низкий стол, заваленный небрежно брошенными газетами и журналами. Где же он питается, художник этот? Неужели на кухне, как принято было в советские времена? Фи, неистребимое плебейство!

Ардаев зашел в мастерскую, но здесь уж совсем негде было хранить то, что он искал. Зато его взгляд, настроенный, как локатор, на дорогие вещи, сразу выхватил из кучи тряпок для протирки кистей золотую зажигалку, а также телефон «Верту», небрежно валяющийся на продавленном диванчике, задрапированном золотистой переливающейся тканью и явно предназначенном для того, чтобы усаживать на него модель. Только модель здесь, похоже, давно не сидела: рядом с телефоном Ардаев увидел коробку с елочными украшениями, полупустую упаковку сдобного печенья и бутафорский револьвер, какой можно было увидеть только в американских вестернах. Что же получается, художник уехал из дома без телефона? Это вряд ли. Стало быть, у него есть еще один, вряд ли дороже «Верту», в это верится с трудом, значит, дешевле и хуже, и именно его художник взял с собой. Что же должно быть в голове у этого недоноска, если он отдает пиджак «Кензо» кошке для использования в качестве подстилки, швыряет золотую зажигалку в кучу испачканных краской тряпок и пользуется дешевым телефоном, вместо того чтобы носить с собой дорогой? От ярости у Ардаева в глазах потемнело. Он, Ардаев, так и не смог подобраться к «Верту», хотя долго примеривался и облизывался, а этот... этот... даже слов нет, чтобы его назвать как-нибудь адекватно!

Он зажмурился, постарался расслабить спину и сделал несколько глубоких вдохов, дыша через сомкнутые связки и издавая горловое урчание. Это всегда помогало успокоиться и перестать злиться. Помогло и на этот раз.

Из дома художника Ардаев выходил с твердым убеждением, что денег у того — куры не клюют, счета им он не знает и расстается с ними легко. Что ж, тем лучше. У сегодняшнего мероприятия было две цели: найти искомое и постараться понять характер хозяина дома. С первой целью — облом, зато вторая достигнута в полном объеме и с весьма удовлетворительным результатом.

Осталось только привести замок входной двери в первоначальное состояние, чтобы никто не заподозрил, что в дом проникал чужой. Но с этой задачей Ардаев справился легко. Все-таки замок в доме художника был на редкость примитивным. Единственное, что заметит хозяин, так это то, что ключ будет проворачиваться с некоторым трудом, словно замок заедает. Но из ста человек девяносто девять не обращают на это внимания.

Глава 2

«**М**не-ник-то-не-по-мо-жет-ни-ко-му-нет-де-ла», — звучало в голове в такт стуку колес. По темноте вагонного купе проскальзывал свет фонарей, обжигая полуприкрытые глаза, и каждый раз Валентина досадливо морщилась. Сперва она пыталась уснуть, лежа головой к окну, в таком положении свет беспокоил меньше, но из окна сильно тянуло холодом, а простужаться не хотелось, не домой все-таки едет, а по делу, в Москву, да еще неизвестно, на какой срок. Перелегла головой к двери, согрелась, но свет мешает, не дает заснуть. Или это мысли мешают? Или обида? Ненависть? Злость? Разобраться в этой мешанине Валентине было не под силу, да она особо и не старалась, просто знала: есть цель, есть дело, которое обязательно надо сделать. Надо найти того, кто убил ее отца. И плевать на следователя, который вот уже три месяца втолковывает ей, что у дела нет никаких перспектив, что отца убил какой-то залетный грабитель, и если бы он успел хоть что-нибудь взять из дома, хоть что-то украсть, то был бы шанс поймать его при попытке сбыта краденого, а коль он ничего не взял — видно, кто-то спугнул, или сам испугался, убив беспомощного больного старика, — то и брать его не на чем. Как найти такого в огромной стране? Поискали-поискали — да и бросили эту затею. Следователь по фамилии Неделько Валентине раз сто, не меньше, повторил:

— Поверьте моему опыту, если такое преступление не раскрывается по горячим следам, оно не будет раскрыто никогда.

Плевать на опыт, плевать на следователя Неделько, не может так быть, чтобы человека убили и никто не понес наказания. Она, Валентина, не может этого допустить. А Евгений, брат родной, со следователем как будто заодно, дескать, никто убийцу искать не станет, потому что отец так и так со дня на день умер бы. Рак в последней стадии, и врачи как раз накануне того страшного дня сказали определенно: речь идет о днях, а возможно, и о часах.

Валентина поняла, что в родном городе правды ей не добиться, и решила ехать в Москву. Там высокое начальство сидит, пусть оно следователю прикажет работать по делу, пока преступника не поймают. Брат Евгений долго ее отговаривал, потом вздохнул обреченно, полез в шкаф, достал толстый конверт с деньгами.

— Не дело ты затеваешь, Валюха. Толку не будет. Если по-серьезному заниматься тем, чтобы найти того, кто папу убил, то надо частных детективов нанимать. Государственные сыщики ради нас с тобой задницу рвать не станут. Умирающий от рака старый врач для них не фигура, вот если бы политик или журналист — тогда другое дело, а так... — Он махнул рукой и бросил конверт на стол перед сестрой. — Возьми, пригодятся. Я с тобой не поеду, у меня бизнес, дел невпроворот, а на майские праздники мы летим в Эмираты. Ни к какому начальству не ходи, только время зря потратишь, заодно и унижений нахлебаешься.

— А к кому же? — растерянно спросила Валентина.

— Я тебе дам телефон моего приятеля, позвонишь ему, когда приедешь. Я с ним созвонюсь, попрошу, чтобы нашел какое-нибудь детективное агентство поприличнее. И смотри там с деньгами поаккуратнее, ворья кругом — тьма.

У Валентины и свои сбережения были, так что вместе с деньгами Евгения сумма вышла солидная, должно было хватить на все. Собралась она быстро, оставила соседке ключи от квартиры, попросила поливать цветы и села в поезд. Но если в первые часы путешествия она была полна решимости и каких-то смутных надежд, вселявших уверенность в том, что уж теперь-то дело будет доведено до конца и убийцу удастся найти и покарать должным образом, то чем ближе к Москве, тем больше одолевали Валентину тоска и безысходность. Ну кому там, в столице, есть дело до безродной провинциалки? Кто захочет ее выслушать? Кто станет ей помогать? Скажут то же самое, что и следователь говорил: какая разница, днем раньше умер ваш отец или днем позже? Он все равно умирал, и умирал мучительно, ему каждый день кололи наркотики, потому что он уже не мог терпеть боль.

Прорезающий темноту свет все бил и бил по глазам, и сна все не было и не было. Валентина тихонько, стараясь не разбудить спящих соседей по купе, слезла с полки, накинула куртку, вытащила из-под подушки сумочку, достала сигареты и пошла в нерабочий тамбур. Весь вагон спит... Нет, смотри-ка, не весь, в одном из купе дверь открыта, пятно света падает на слабо освещенный коридор. Проходя мимо, Валентина не удержалась и скосила любопытный глаз: всего одна пассажирка, женщина лет сорока, в черном спортивном костюме, сидит с ноутбуком на коленях, столик и обе нижние полки завалены бумагами. Чего она дверь-то не закроет? Вот же повезло бабе, одна в купе едет, сама себе хозяйка. Поезд битком набит, Валентина это знает точно, потому что с трудом купила билет, а оказывается, полно свободных мест. Наверняка билетные спекулянты постарались.

В тамбуре противно пахло застарелыми окурками и было холодно, пришлось застегнуть куртку на «молнию». Едва Валентина успела прикурить и сделать пару затяжек, как дверь открылась и появилась та самая женщина из пустого купе. Темно-рыжие волосы, стильная стрижка, черный костюм с ярко-розовой отделкой тесно облегает красивую фигуру с тонкой талией и широкими бедрами, а вот лицо усталое, даже замученное какое-то, и белки глаз покраснели. Да и немудрено, если она все время работает на компьютере, даже в поезде расстаться с ним не может.

— Не спится? — приветливо улыбнулась незнакомка.

Валентина настороженно кивнула, не зная, что ответить. Но отвечать надо было, а то невежливо получится.

— Вам тоже? — ответила она вопросом на вопрос, радуясь, что так ловко вышла из положения.

— Да нет, — женщина рассмеялась легко и как-то рассыпчато, — мне-то как раз очень даже спится. Только нельзя засыпать, уже четыре утра, через два часа прибываем, через час начнут будить, чтобы все успели умыться, пока в санитарную зону не въехали. Если сейчас уснуть, то через час я проснусь с чугунной головой и целый день буду как чумная, а мне надо быть в форме. Лучше уж совсем не ложиться. А спать хочется — как из пушки! Вот вышла покурить с вами за компанию, поболтать, чтобы сон разогнать.

Надо же, какое забавное выражение: хотеть спать «как из пушки». Валентина сроду такого не слыхала. Как это — из пушки? Стремительно и напористо? С такой же неотвратимостью и убойной силой, с какой движется выпущенное из пушки ядро? Или как?

— Вы видели, как я проходила? — удивилась она. — Я думала, вы меня не заметили.

— Еще как заметила. Вы не против? Может, вы хотели побыть одна?

— Нет-нет, — торопливо заговорила Валентина, — я не хотела... То есть я хочу сказать, что я с удовольствием... А вы в командировку едете?

— Из командировки. Шеф надумал покупать очередной свечной заводик, вот и отправил меня на два дня проверить, как там и что, бухгалтерию их посмотреть, ну и все такое, а сегодня у него уже переговоры по поводу этой покупки, и я должна успеть привести все бумаги в порядок и доложить ему свои соображения. Времени, конечно, в обрез, понятно, что я не успеваю, поэтому пришлось покупать четыре билета, целое купе, чтобы спокойно поработать в поезде. Как всегда, все в последний момент и в авральном порядке. Никогда не понимала, почему мужики вечно затягивают до последнего, ничего не умеют делать заранее. — Она сладко зевнула и потрясла головой. — Господи, как же спать хочется! Полцарства за восемь часов сна. Меня зовут Еленой. А вас?

— Валентина. А зачем вашему шефу свечной заводик?

— Фигура речи. — Елена улыбнулась, загасила в висящей на стене пепельнице окурок и тут же вытащила из пачки новую сигарету. —

На самом деле речь идет о заводе лекарственных препаратов. Наша специализация — пищевые добавки и прочие прибамбасы для здорового образа жизни. Наш шеф начинал когда-то с распространения заграничных пилюлек, а теперь вырос, стал большим мальчиком и убежденным патриотом, он считает, что импорт лекарств — позор для страны. Ну да ладно, это неинтересно. А вы в Москву едете или возвращаетесь?

— Еду.

— В командировку? Или по личному делу?

Валентина набрала в грудь побольше воздуха, на глаза снова навернулись слезы, в горле спазм.

— По личному, — пробормотала она и внезапно выпалила: — Моего отца убили. И никому дела нет. Все говорят, что преступление раскрыть невозможно, а папа все равно умирал, у него был рак...

Она все-таки не справилась с собой, и слезы хлынули из глаз, стекая по щекам на шею.

Елена внимательно посмотрела на нее и осторожно тронула за плечо.

— Пойдемте-ка в купе, сядем, выпьем чаю, у меня целый термос горячего чая. И вы мне все расскажете.

Чашка у Елены была всего одна, и она, как гостеприимная хозяйка, уступила ее Валентине, а сама пила чай из хромированной крышечки термоса. Валентина и сама не могла бы объяснить, чего это ее вдруг прорвало на разговоры с незнакомым человеком, то ли знаменитый «эффект попутчика» сказался, то ли ей за последние несколько часов удалось убедить себя в том, что никому нет дела до ее горя, и она без оглядки кинулась навстречу первому же собеседнику, проявившему к ней участие, как изголодавшийся бездомный пес безропотно идет за тем, кто его покормит, то ли просто уцепилась за возможность скоротать остаток и без того бессонной ночи. Она рассказывала подробно и по порядку: о том, как отец болел, как слабел, как мучился болями, о том, что его не брали ни в одну больницу, потому что помочь все равно нельзя, о бестолковой молоденькой медсестричке-сиделке, которая должна была днем, пока Валентина на работе, ухаживать за отцом, делать уколы и ставить капельницы, и о том, как эта сиделка оставила отца одного «всего на полчасика» и убежала на свидание, а когда вернулась... Отец был добрым человеком и никогда не жаловался детям на эту дурочку, а потом, уже когда следователь начал ее допрашивать, выяснилось, что она частенько оставляла свой пост и убегала то в магазин, то в ближайшее кафе на встречу с подружкой за чашечкой кофе, то еще куда-нибудь. Правда, справедливости ради надо сказать, что всегда ненадолго, но разве это имеет значение? Преступнику и этого «ненадолго» вполне хватило, чтобы взломать замок, войти в квартиру и задушить беспомощного больного старика.

Теперь в Москве ей нужно найти частного детектива, который занялся бы ее делом. И еще надо найти жилье какое-нибудь недорогое, потому что если нанять сыщика и уехать домой, то опять никто ничего делать не будет, нужно обязательно стоять над душой и беспрестанно теребить, требовать отчета. Понятно, конечно, что искать этого преступника-гастролера вряд ли будут в Москве, наверное, по всей стране начнут ездить, а может, и в Москве найдут, но в любом случае начальство-то этих детективов здесь, стало быть, и ее место будет здесь, рядом. Будет с кого спросить, в чьи глаза посмотреть и у кого узнать, что делается по ее заказу. Нет, деньги у нее есть, вполне достаточно, и свои сбережения немалые, и брат Евгений дал большую сумму, но ведь неизвестно, сколько времени понадобится на расследование и сколько это будет стоить, поэтому придется с самого начала проявлять экономность и лишнего не тратить.

Поезд неторопливо врезался в полусонный туман пасмурной утренней Москвы, до прибытия оставалось минут пятнадцать, а Валентина все говорила, говорила, никак не могла остановиться. Елена оказалась хорошим слушателем, благодарным, она все время задавала уточняющие вопросы и бросала то удивленные, то негодующие, то сочувственные реплики и всем своим видом показывала, что искренне и глубоко сопереживает своей случайной попутчице.

— Знаешь, я, наверное, смогу помочь тебе с жильем, — сказала Елена, когда Валентина наконец спохватилась, что уже почти приехали и надо пойти в свое купе переодеться. — Мы вот как сделаем: сейчас поедем ко мне, помоемся, позавтракаем, а часиков в восемь, когда уже прилично звонить по телефону, я попробую решить твою проблему. Тебе ведь не обязательно жить в центре Москвы, правда? Можешь пожить за городом?

— Конечно. Да в центре, наверное, и дорого ужасно. Ты предлагаешь мне свою дачу?

— Нет, — засмеялась Елена, — дача у меня в таком месте, что без машины там делать нечего. Далеко и полная глухомань, даже хлеба купить негде. Я знаю одну тетку, она работает садовником у моего шефа, вот к ней можно попробовать тебя пристроить. Тетка замечательная, я ее просто обожаю, и живет одна, а дом у нее большой. На электричке добираться удобно, от платформы до ее дома минут десять пешком, там большой поселок, вся инфраструктура есть. И возьмет она недорого, я точно знаю, она жильцов пускает, я к ней пару раз своих знакомых пристраивала. Главное, чтобы сейчас у нее жильцов не было.

— А если у нее занято? — тревожно спросила Валентина.

— Тогда я попрошу ее кого-нибудь посоветовать, она же в этом поселке всю жизнь живет, всех соседей знает. Ну, договорились?

— Спасибо тебе. — Валентина благодарно улыбнулась и помчалась в свое купе, чтобы за оставшиеся до прибытия несколько жалких минуточек сменить дорожную одежку на приличный костюм.

Однако, вытащив из-под полки чемодан, она вдруг передумала. Зачем переодеваться? Джинсы, джемпер, куртка — вполне нормально. Тем более ей прямо с вокзала не на деловую встречу идти, а ехать к Елене домой. Какая разница, во что она одета? Она наспех причесалась, переобулась, сунула косметичку и пакет с тапочками в чемодан и решительно задернула «молнию» на крышке.

Валентина почему-то думала, что домой к Елене они поедут на метро, но на привокзальной площади обнаружился черный «Мерседес» с водителем, здоровенным бритоголовым детиной, который кинулся к ним, как к родным, подхватил Валентинин чемодан и небольшую дорожную сумку Елены и в мгновение ока затолкал в багажник. Наверное, фирма, в которой работает Елена, действительно солидная, раз водителя с машиной присылают в такую рань.

— Мы так рано едем, — Валентина и сама не заметила, что говорит почему-то шепотом, — твои домашние, наверное, еще спят. Может, ты зря меня к себе везешь? От меня только одно беспокойство.

— Ничего, — усмехнулась Елена, — встанут, не переломятся. Кто рано встает, тому бог подает. Муж уехал на три дня на рыбалку, а мальчишкам полезно встать пораньше. Но я думаю, они все равно не встанут. Знаешь, как крепко пацаны спят? Их даже землетрясение не разбудит.

— Муж на рыбалке? — изумленно повторила Валентина, не веря своим ушам. — Так у тебя что, дети одни дома остались? Как же ты уехала?

— Ой, Валя, ну что ты, ей-богу! Моему старшему сыну девятнадцать лет, он уже на втором курсе. Средний школу заканчивает в этом году, а младший в седьмом классе. Они прекрасно без меня управляются. Вполне взрослые и самостоятельные ребята.

— Все равно, — Валентина покачала головой, — я бы не рискнула. Какие они взрослые? По-моему, они еще совсем дети. Девятнадцать лет — ну что это за возраст? Одни глупости на уме. Разве он сможет за младших отвечать? Отчаянная ты, Лена.

Елена усмехнулась, помолчала немного.

— И ты бы стала отчаянной, если бы тебе платили столько, сколько мне, — сказала она после паузы. — Я не могу потерять эту работу, поэтому я не имею права отказываться от командировок. У меня муж — государственный служащий, получает сама понимаешь сколько, трое сыновей, мои родители и родители мужа, все четверо — пенсионеры. И все они существуют на одну мою зарплату.

— А муж? Он же мог не ехать на рыбалку, раз у тебя срочная командировка.

— Мог. Но я ни за что с этим не согласилась бы.

— Почему? — не поняла Валентина.

— Не хочу, чтобы у моего мужа появилось ощущение, что ему приходится чем-то жертвовать во имя моей большой зарплаты.

Елена тоже говорила тихо, совсем тихо, и Валентина вдруг подумала, что их разговор, наверное, слышит водитель, и смутилась. Ну что она, в самом деле, затеяла такие беседы в совсем неподходящем месте! Елена — человек воспитанный, не стала ее осекать и уклоняться от ответов, а сама, наверное, клянет новую знакомую последними словами и уже жалеет, что пригласила к себе и вызвалась помочь.

Валентина умолкла и принялась разглядывать через окно московские улицы. Вообще-то она неплохо знала столицу, бывала здесь, еще будучи студенткой, да и потом часто приезжала, только вот последние два года, когда отец заболел, сидела в своем городе безвыездно, даже отпуск не брала, как знала, что пригодится. Вот и пригодился, теперь в ее распоряжении два месяца за прошлые годы и месяц за год текущий, всего три. За три-то месяца хоть какая-то ясность наступит. Начальство, конечно, не было в восторге, когда она подала заявление, но деваться некуда, пока отец болел, все ей сочувствовали и повторяли, что, как только возникнет нужда, она может рассчитывать на все неотгулянные отпускные месяцы хоть подряд, хоть вразбивку.

За два года Москва мало изменилась, во всяком случае, так Валентине показалось, но все-таки стала чуть-чуть другой. Она узнавала места, по которым сейчас проезжала, и вспоминала, что вот здесь все было перекопано и перегорожено и возникали постоянные заторы, а теперь дорога гладкая, широкая, вот в этом магазине она в прошлый раз купила прелестные туфельки, а вот в этом доме был книжный магазин, которого теперь почему-то нет, вместо него — ресторан. Каждый раз, когда глаза выхватывали что-то незнакомое, Валентина начинала нервничать, и снова возвращалось неприятное ощущение пугающе чужого пространства, наполненного чужими людьми, для которых и она сама — чужая, и никому не будет до нее никакого дела, и никто не захочет ей помочь, более того, ее даже выслушать не захотят.

Доехали неожиданно быстро, ранним утром дороги были еще свободными, да и жила Елена, как оказалось, вовсе не на окраине города. Бандитоподобный водитель донес багаж до дверей квартиры и исчез, получив указание подать машину в половине девятого. Опасения Валентины нарушить покой спящих домочадцев были развеяны в первые же секунды: едва Елена открыла дверь, на женщин обрушился шквал самых разнообразных звуков, эдакая мешанина из громкой музыки, душераздирающего гудения пылесоса, льющейся из кранов воды и мальчишеских голосов. Елена на мгновение вслушалась в эту какофонию и усмехнулась:

— Все понятно. Ребята за три дня превратили квартиру в хлев и надеялись за одно утро привести ее в приемлемый вид. Интересно, они пораньше встали или вообще не ложились? Раздевайся, бери тапочки и иди за мной, только тихо.

Пока Валентина снимала и вешала в стенной шкаф куртку и переобувалась, она успела подумать, что такие уютные планы о горячем душе и вкусном неспешном завтраке, пожалуй, приказали долго жить. Если в квартире идет генеральная уборка, то никакого тихого уюта ни в ванной, ни на кухне не получится.

— Ва-а-ася!!! — донесся откуда-то справа звонкий голос.

— Ну чего?! — ответил солидный басок.

— Ясно, — прошептала Елена на ухо Валентине, — младший моет посуду на кухне, старший пылесосит гостиную. Стало быть, сантехнику драит средний. Вот такой расклад.

— Ва-ась, а сковородку тоже мыть руками?! — надсадно вопрошал звонкий.

— Ногами!!! — басок откровенно грубил.

— Можно, я ее в посудомойку суну?

— Нельзя!!! Обалдел, что ли?! Мать через полчаса приедет, увидит, что машина работает, и все поймет. Давай мой руками, вытирай насухо и ставь в шкаф.

— Вот видишь, — улыбнулась Елена, аккуратно пристраивая пальто и дорожную сумку в шкаф, — сковородку пришлось мыть, значит, они ею пользовались, и, значит, они не голодали, что-то себе готовили. И вообще, грязная посуда — это в моем случае очень хороший признак. Вот если бы грязной посуды не было, можно было бы подумать, что парни три дня грызли чипсы или покупали фастфуд, а это плохо.

— А то, что они моют сантехнику, что означает? — с интересом спросила Валентина.

— Они по крайней мере ночевали дома и хотя бы раз в день умывались и чистили зубы, а это тоже очень неплохой показатель, во всяком случае, для их возраста. Ну, готова? Бери свой чемодан, и пошли, только старайся не шуметь.

Елена взяла ее за руку и повела через просторный холл к лестнице, которую Валентина сперва и не заметила. Оказывается, квартира-то двухэтажная! Они на цыпочках поднялись по ступенькам, прошли по коридору и оказались в еще одном холле, поменьше.

— Ну вот, — Елена толкнула одну из дверей, — здесь ванная, на полке чистые полотенца, но, если хочешь, возьми свои. А вот здесь, — она открыла другую дверь, — кабинет мужа, заходи, переодевайся. Мальчишки сюда не поднимутся, не бойся, у них вся грязь и, соответственно, вся уборка на первом этаже. Сейчас они закончат и разбегутся по своим постелям, будут к моему приезду делать вид, что крепко спят, а квартира так и стояла чистая и убранная все три дня. Плавали, знаем. Мы с тобой как раз пока душ примем.

— Ага, — кивнула Валентина. — Ты иди первая, я подожду.

— Да ты что? — Елена снова рассмеялась. — Это гостевая ванная, пользуйся на здоровье. У меня своя, в нее вход из спальни. Мальчишки сюда тоже не сунутся, они на первом этаже обитают, у них там еще один санузел есть.

И снова Валентина почувствовала себя неловко, словно прилюдно сморозила глупость. И не то чтобы она не бывала в богатых домах или современных больших квартирах, бывала, и еще как бывала, и знала прекрасно, что там бывает и по два, и по три, и даже по четыре санузла, но теперь отчего-то растерялась и не сообразила. Нервы, бессонная ночь — вот голова и отказывает.

Она с удовольствием сняла с себя одежду и белье — все это казалось ей несвежим и противным, достала из чемодана шелковую пижаму и сумочку с туалетными принадлежностями и заперлась в ванной. Через двадцать минут она вышла оттуда бодрая и заметно повеселевшая, с мокрыми волосами и порозовевшим от горячей воды лицом. Поистине чудеса творит с женщинами ощущение чистого тела, чистых волос и чистого белья. Сперва Валентина даже не сообразила, в чем дело, просто почувствовала: что-то не так. И только через секунду поняла, что стало тихо. Больше не гремела музыка, не перекликались голоса, не завывал пылесос и не шумела льющаяся вода. Уборка закончена.

Дверь в спальню Елены была открыта, и Валентина заглянула в комнату. Елена стояла в халате перед зеркалом и наносила на лицо крем. Выглядела она почему-то еще более усталой, чем в поезде, и Валентине стало ужасно жаль ее. Ответственная работа с частыми и внезапными командировками, четверо мужиков, которых надо кормить и постоянно обеспечивать чистыми наглаженными сорочками и футболками, и огромная квартира, которую надо содержать в порядке, — и на все это нужны и силы, и время, а где их взять? Домработницы нет, иначе сыновья не делали бы уборку с утра пораньше.

— Тебе сколько лет? — внезапно спросила Елена, глядя на отражение Валентины в зеркале.

— Тридцать пять, а что?

— Да ничего, смотрю на тебя и понимаю, что я — старуха.

— Да ты что, Лен! — возмутилась Валентина. — Ну какая ты старуха? Сколько тебе?

— Сорок четыре. Да нет, не в цифрах дело. Мы обе ночь не спали, мы ехали в одном и том же поезде в совершенно одинаковых условиях, но ты приняла душ — и как цветочек, а я? Смотреть страшно. Показатель возраста не в годах, а в том, как женщина выглядит и чувствует себя после бессонной ночи. Пока она выглядит и чувствует себя хорошо, она может считаться молодой, а когда уже плохо — тогда старой. Ладно, хватит лирики, пошли вниз. Идем на цыпочках, потом я хлопну входной дверью, сделаем вид, что только-только приехали, и будем завтракать. Пусть парни думают, что их старания не пропали даром и я не догадываюсь о том, какой бардак они учинили в квартире, пока родителей не было дома. «Не пропадет наш скорбный труд», — с усмешкой добавила Елена.

— И дум высокое стремленье, — подхватила Валентина.

Они спустились, произвели все запланированные манипуляции и принялись в четыре руки готовить завтрак. Елена изучила содержимое холодильника и с удовлетворением констатировала, что запасы продуктов, оставленные ею перед отъездом, заметно поиссякли, то есть дети действительно не голодали и не питались всякой дрянью. Наконец кофе был сварен, сыр нарезан, тосты подсушены, взбитый со сливками омлет пышной массой поднялся под крышкой сковороды, а замешенное на кефире тесто для оладий стояло в сторонке, дожидаясь, пока «проснутся» мальчики. Валентина молча поглощала омлет, все время возвращаясь мыслями к словам Елены. Тридцать пять. Много это или мало? С одной стороны, она как-то привыкла считать себя старой, потому что замуж так и не вышла и вроде бы попадала в категорию «старых дев», но, с другой стороны, в ее жизни были мужчины и страстные романы, и хотя ни один из этих романов свадьбой не увенчался, она так и не утратила веры в то, что самый главный ее мужчина еще впереди и она обязательно его встретит. Так какая она, молодая или старая?

Елена подняла голову, прислушалась и кивнула.

— Васька встал. Молодец, вовремя, ровно половина восьмого.

Валентина, как ни напрягала слух, ничего не услышала, но через пару минут действительно раздались звуки, свидетельствующие о том, что где-то открылась дверь и кто-то в шлепанцах бредет в сторону кухни-столовой. Этот «кто-то», как две капли воды похожий на Елену, только не темно-рыжий, а жгучий брюнет, возник на пороге с всклокоченными волосами, в джинсах и с голым торсом.

— Привет, мам, как съездила?

Валентину он, казалось, не заметил вовсе.

— Съездила отлично. Познакомься, Валечка, это Василий, наш старший сын. Вася, это Валентина Дмитриевна, моя приятельница.

— Ага, — кивнул тот, вероятно заменяя этим коротким словом более длинное «очень приятно, здравствуйте».

— Ну, рассказывай, как вы тут жили, как у вас дела.

— Да все нормально, мам. Сыты, здоровы. Я же тебе вчера вечером по телефону докладывал. За ночь ничего не изменилось. Ладно, я пошел мыться-бриться.

Он без энтузиазма оглядел накрытый стол и удалился. Елена с улыбкой смотрела ему вслед, потом вздохнула:

— Совмещал уборку с поглощением бутербродов.

— Почему ты решила?

— А у него взгляд не голодный. Был бы голодным — уже схватил бы тост с куском сыра и обязательно поинтересовался бы, что ему дадут на завтрак. Что я, сына своего не знаю? Пей кофе, пока не остыл, а я пойду младших поднимать. То есть я буду делать вид, что пришла их будить, а они будут делать вид, что всю ночь крепко спали и не хотят просыпаться. Театр четырех актеров без единого зрителя.

— Может, я пока начну оладьи жарить? — предложила Валентина. Ей хотелось быть полезной в благодарность за гостеприимство.

— Давай, — согласилась Елена. — Я мальчишек подниму и буду звонить насчет твоего жилья.

Еще через час все проблемы были решены. Сыновья Елены накормлены и отправлены в учебные заведения, волосы высушены, чемодан Валентины вернулся в багажник черного «Мерседеса», а сама Валентина сидела в машине рядом с Еленой, которая сказала, что сперва водитель отвезет хозяйку на работу, а потом доставит гостью вместе с багажом прямо к дому Нины Сергеевны, с радостью согласившейся принять на постой новую жиличку и запросившей совсем мизерную плату.

— Она не для заработка берет жильцов, — объяснила Елена, когда Валентина, услышав сумму оплаты, потеряла дар речи от изумления и радости, — ей мой шеф хорошо платит, да и дети у Нины Сеергеевны состоятельные, огромный дом ей отгрохали, обеспечивают всем необходимым и даже излишним. Ей просто очень одиноко. Дети далеко, сын с женой в Израиле обосновался, дочка с семьей — в Швейцарии, а Нина не может без своих растений. И без людей тоже не может. Поэтому продолжает работать, хотя могла бы пальцем о палец не ударять, она и так до конца жизни обеспечена.

— А разве в Швейцарии нельзя работать садовником? — удивилась Валентина.

— Можно. Но только теоретически. Настоящим садовником ее никто не возьмет, у нее нет ни гражданства, ни права на работу, ни знания языка, а возделывать пятьдесят квадратных метров вокруг дочкиного домика — это для нашей Нины не масштаб. Ей нужен размах, чтобы целый дендрарий, чтобы сады плодоносили, цветы благоухали, и обязательно чтобы что-нибудь трудное вырастить, экзотическое, чтобы ночи не спать, специальную литературу перелопачивать, специальную подкормку изобретать и из доступных препаратов составлять. В общем, она потрясающая. Сама увидишь.

Дифирамбы эти Валентину не особенно впечатлили, она и вообще доверчивостью к похвалам не отличалась, а уж рассказы Елены о женщине, которая имеет все и даже больше и при этом продолжает жить так, как будто у нее ничего нет, показались и вовсе небылицами. Не бывает так. Зато бывает по-другому: дети не удались, но перед знакомыми хочется держать форс и выглядеть успешной, пусть не в профессии, так хотя бы в детях состоялась, вот и потчует женщина всех россказнями о том, что могла бы жить и по-другому, благо детки ей такую возможность предоставили, еще и уговаривают переехать к ним, а она, видите ли, без своей работы и без своего привычного дома не может. А дом-то этот небось избушка-развалюшка на курьих ножках, соплями подпертая, как приговаривала старенькая прабабушка Валентины, когда рассказывала ей, трехлетней крохе, сказки на ночь.

Однако когда бритоголовый водитель остановил машину перед воротами и вышел, чтобы позвонить в домофон, Валентина засомневалась: то ли он адрес перепутал, то ли она все-таки не права. Ворота невысокие, как и окружающий участок забор, и двухэтажный домик виден ой как хорошо. Деревянный, затейливой конфигурации, очень современный, то есть построенный явно в последнее десятилетие.

Створка ворот отъехала в сторону, водитель загнал машину внутрь и вышел, чтобы достать из багажника чемодан. На крыльце появилась хозяйка, и Валентину вновь обуяли сомнения. Невысокая, худощавая, длинные крепкие ноги обтянуты джинсами, плечи окутаны пуховой малиновой шалью-паутинкой, гладкое моложавое лицо, прямые седые волосы, очки в модной оправе. И эта женщина работает садовником у чужого дяди?! Да ей впору в университете преподавать что-нибудь серьезное с такой-то внешностью, вещать с кафедры или, вооружившись карандашом, править в тиши кабинета при свете настольной лампы чью-нибудь диссертацию. Разумеется, докторскую. «Хотя что это я? — осекла сама себя Валентина и невольно улыбнулась. — Кто будет править докторские диссертации? У соискателей докторской степени нет научных руководителей. Это я, кажется, зарвалась».

От собственных неуместных мыслей она рассмеялась, и ей в ответ засмеялась Нина Сергеевна.

— Вы — Валя? Здравствуйте, очень рада. Проходите в дом. И ты, Коля, заходи, будем завтракать.

— Да вы не беспокойтесь, — засмущалась Валентина, — меня Лена кормила уже, мы же очень рано приехали, мы успели...

— Понятно, что рано и что успели, — хмыкнула хозяйка. — Только это ваше «рано» очень давно было. Коля, заноси чемодан и иди мой руки, у меня все готово.

Бритоголовый Коля и не думал сопротивляться, а проходя мимо Валентины, едва слышно шепнул:

— Не отказывайтесь. У Нины Сергеевны изумительные пирожные, но она их печет только один раз, в день приезда гостя. Если сегодня не попробуете, то больше шансов не будет.

Войдя внутрь, Валентина окончательно растерялась: дом, выглядевший снаружи компактным и в общем не очень большим, теперь показался ей поистине огромным. Правда, через несколько секунд она сумела мобилизовать навыки пространственного мышления и сообразила, что ощущение простора создается за счет очень высокого потолка и больших окон, но все равно это было не то, что она ожидала, к чему готовилась, и она никак не могла взять в толк, плохо это или хорошо. За проживание в таком доме с нее возьмут сущие копейки? Или дом домом, а для жильцов предназначена душная темная каморка под крышей? Или конура в подвале? Или цена все-таки будет другой? Или есть еще какой-то подвох?

Она смотрела на красиво накрытый стол, в центре которого красовалось блюдо с домашними пирожными, и чувствовала, как ее начинает трясти от внезапно нахлынувшей тревоги. «Она назвала его Колей и пригласила в дом, а он знает все про ее пирожные. Они давно и хорошо знакомы. Почему? Откуда? Зачем он уговаривает меня непременно их попробовать? Она положила в пирожные какую-то отраву.

Они хотят меня убить. Я сказала Лене, что у меня есть деньги, много денег. Это одна шайка, они все сговорились меня ограбить. Дура я, дура! Доверилась первой попавшейся незнакомке, а ведь я про нее ничего не знаю, вообще ничего, я даже адреса ее не знаю — ни улицы, ни номера дома, только номер квартиры. И фамилии ее не знаю. Мало ли что она мне говорила про себя! Работает в крупной фирме, а поди проверь теперь, где она на самом деле работает. Ездит в поездах, высматривает идиоток вроде меня, которые едут в Москву с большими деньгами, предлагает помощь в поисках жилья и отправляет сюда, даже машину с водителем дает, чтобы доставили точно по адресу, а то ведь я могла бы в другое место поехать, поискать другую квартиру. Господи, во что я вляпалась?! Ведь предупреждал же меня Женька, чтобы была осторожнее, что кругом полно ворья, как в воду глядел. И что теперь делать? Извиняться, хватать чемодан и уносить ноги? Да, наверное, так и надо поступить, только очень аккуратно, чтобы они не поняли, что я обо всем догадалась. И ни в коем случае не есть пирожные. Вообще ничего тут не есть и не пить. Господи, господи, только бы выбраться отсюда живой...»

— Валя!

Валентина и не заметила, что уже сидит за столом и перед ней дымится большая красивая чашка с чаем.

— Что с вами? — встревоженно спрашивала Нина Сергеевна. — Вы меня слышите? Вам плохо? Нужно какое-нибудь лекарство?

— Нет-нет, — торопливо забормотала Валентина, — со мной все в порядке. Просто я задумалась. Извините.

Она взяла себя в руки и попыталась осмысленно взглянуть на происходящее. Коля за обе щеки уписывал пирожные, крякая от удовольствия, и это немного успокоило ее.

— Нина Сергеевна, — он озабоченно взглянул на часы, — я помчался, мне еще по пробкам в самый центр пилить. Сухим пайком дадите?

— Конечно, — улыбнулась хозяйка, — бери, тут всем хватит. Там на полке судочек пластиковый стоит, возьми, упакуй в него.

Валентина тряхнула головой и поморщилась. Боже мой, что это на нее нашло? Наваждение какое-то. Разве может эта милая тетка с внешностью университетского преподавателя оказаться убийцей? А водитель Коля с пластиковым контейнером, набитым пирожными? А Лена, мать троих симпатичных пацанов? Да чушь все это, игра больного воображения. Просто последние месяцы в голове только одни мысли об убийцах, да еще бессонная ночь в поезде, вот и рождаются в мозгу всякие чудовищные нелепицы.

Она протянула руку, взяла с блюда пирожное, откусила. Вкусно. Нет, правда, очень вкусно, очень-очень. Надо будет попросить у Нины Сергеевны рецепт. Кстати, она-то сама свои пирожные не ест, на ее тарелке только одинокий сырник лежит. Снова в груди шевельнулось беспокойство.

— Очень вкусно, — стараясь, чтобы голос не дрожал, сказала Валентина. — А вы сами почему не едите?

— Мне нельзя, — хозяйка снова улыбнулась. — У меня строгая диета.

— Неужели худеете? — удивилась Валентина. — По-моему, вы в прекрасной форме.

— Да бог с вами, Валечка. В мои-то годы мне только худеть... У меня язва, колит и еще куча болячек в области ливера. А пирожные и торты я ужасно люблю, всю жизнь любила и всю жизнь их пекла. Думаете, мне легко смотреть на них и не есть? Да я еле сдерживаюсь. Поэтому пеку редко, только по особым случаям. Вот как новый гость заселяется — так и пеку, чтобы было ощущение праздника.

— А что, новый гость — это праздник?

— Ну а как же! Новый человек, со своей историей, со своим характером, со своими причудами, — это же как новая книжка, только лучше, интереснее, глубже. И потом, самую интересную книгу можно прочесть максимум за три дня, а нового человека читаешь и изучаешь столько, сколько он здесь живет. Неделю, месяц, а то и полгода.

— И меня будете изучать?

Почему-то перспектива стать объектом изучения показалась Валентине малопривлекательной, и, похоже, ей не удалось этого скрыть, потому что хозяйка посмотрела на гостью внимательно и как-то слишком строго.

— Обязательно, — кивнула Нина Сергеевна. — Любое сосуществование бок о бок предполагает взаимное изучение и — самое главное — учет результатов наблюдения. Вам Леночка говорила, что я работаю с растениями?

— Говорила.

— Ну так вот, я наблюдаю за растением и делаю выводы о том, что ему нравится, а что нет, на какие факторы оно реагирует положительно, а на какие отрицательно, и исходя из этого строю программу ухода за ним. Если результаты наблюдения учтены и из них сделаны правильные выводы, то растение развивается, цветет и плодоносит, то есть отвечает мне благодарностью. Я смотрю на него, вижу, что оно хорошо себя чувствует и отлично выглядит, и это приносит мне радость и хорошее настроение. А представьте, сколько радости можно испытать, если видишь, что человеку рядом с тобой хорошо.

— Я понимаю, — ответила Валентина, не очень, впрочем, уверенно. — Но как же этот другой человек? Ваш гость... Вы ведь говорите о сосуществовании, правда? Значит, вы ждете, что он вас тоже будет изучать и делать какие-то свои выводы, чтобы вам с ним рядом было комфортно. А если он не будет этого делать? Не хочет, например, или не умеет, или не считает нужным. Может, ему это совсем неинтересно. Тогда как?

— Никак, — Нина Сергеевна пожала плечами, — я ни от кого не требую жить так, как живу я сама, и ни от кого этого не жду. Мне не нужно, чтобы окружающие подлаживались под мои особенности, мне вполне достаточно той радости, которую мне приносит осознание того, что другому человеку рядом со мной хорошо. Вот и все. Видите ли, Валечка, есть два вида радости, или два вида счастья, если вам так понятнее. Есть счастье, которое вам приносят извне, и счастье, которое вы извлекаете сами. Глупо ждать, что вам что-то принесут, и еще глупее требовать этого и обижаться, если не несут, вы согласны? Гораздо проще и продуктивнее найти способ извлечь радость собственными усилиями. Но еще глупее, — она встала и обеими руками затянула спереди спадающую с плеч шаль, — пичкать такими разговорами малознакомого человека, только-только переступившего твой порог, вместо того чтобы показать ему комнату и дать возможность помыться и отдохнуть с дороги. Коля, что ты там возишься?

Бритоголовый водитель, утащивший блюдо с пирожными на кухонный рабочий стол, теперь стоял спиной к дамам и усиленно пыхтел, хотя укладка пирожных в судочек была задачей не особо сложной и высокой квалификации не требовала.

— Да я уже пятый раз их перекладываю, — жалобно пробасил он, — а они все равно лежат как-то... неуверенно. Машину чуть тряхнет — и они выпадут. Я их хочу поплотнее уложить, а они мнутся.

Нина Сергеевна подошла к нему, взглянула и хмыкнула:

— А крышкой закрыть не пробовал?

— Крышкой? — оторопело переспросил Коля.

— Крышкой, крышкой. Вот этой. Она у тебя перед самым носом.

— Тьфу, придурок, — сердито оценил водитель собственные способности. — Нина Сергеевна, я много взял. Ничего?

Нина Сергеевна вопросительно взглянула на Валентину:

— Как, Валя, ничего? Или пусть половину вернет? — с улыбкой спросила она. — Мне все равно жирного нельзя, поэтому ориентируемся только на вас. Осталось пять штук. Хватит или добавить?

— Хватит, хватит, — замахала руками Валентина. — Даже много.

Пять пирожных! Она и так уже три штуки слопала, теперь будет три дня казниться и без конца проверять, не стал ли пояс брюк туже, не впивается ли он в живот. У нее никогда не было лишнего веса, и всю жизнь Валентина ела что хотела, сколько хотела и когда хотела, но откуда-то в ее голове появилось непоколебимое убеждение, что если ей суждено растолстеть, то только от сладкого, поэтому она лихорадочно учитывала в уме каждую конфетку и каждый кусочек торта, отказаться от которых у нее не хватало силы воли, и после полученного удовольствия начинала корить себя и с ужасом ждала, что вот теперь-то, вот именно от этого кусочка или от этой конфетки на ней немедленно и неотвратимо нарастет тонна жира. Тонна не нарастала, и Валентина делала не вполне логичный, но, на ее взгляд, вполне убедительный вывод о том, что в этот раз ей просто повезло, а на следующий раз катастрофа непременно случится. Мысль о том, что у нее отличный обмен, которому не страшны никакие десерты, ей в голову отчего-то не приходила вообще.

Они проводили Колю, и хозяйка начала знакомить Валентину с домом. На первом этаже кухня, плавно переходящая в гостиную, и спальня с санузлом — владения Нины Сергеевны. На втором этаже четыре комнаты и два санузла.

— И вы все четыре комнаты сдаете? — поинтересовалась Валентина.

— Нет, только три. Вот здесь, — Нина Сергеевна указала рукой на дверь рядом с лестницей, — у меня лаборатория. Я с удобрениями и пестицидами колдую. А из оставшихся трех можете выбирать себе любую, какая больше понравится.

Валентина выбрала комнату с окнами на север. Конечно, здесь не будет утреннего солнышка, под лучами которого так легко и сладко бывает просыпаться, но зато и не будет жарко, если лето окажется знойным. Неизвестно ведь, сколько времени ей придется оставаться в этом доме, а лето — вот оно, уже конец апреля, еще чуть-чуть — и станет совсем тепло. Пока отец не заболел, она много ездила по командировкам и давно научилась выбирать комнаты в гостиницах, сообразуясь с временем года и местными климатическими особенностями.

— Вы с техникой как, дружите? — спросила хозяйка.

— Вполне. Я кандидат технических наук.

— Тогда сами разберетесь, а мне пора бежать, сейчас в саду много работы. Вот вам ключи, пойдемте, я вам быстренько покажу замки, сигнализацию и домофон и помчусь.

Через десять минут Валентина осталась одна. Ей захотелось детально осмотреть дом, интересно было, где тут что и вообще как все устроено, все-таки жить здесь придется, только сперва надо бы чемодан разобрать, вещи разложить. С таким планом в голове она поднялась наверх, в свою комнату, однако стоило ей все разложить и расставить по местам и засунуть опустевший чемодан в шкаф, на нее навалилась страшная усталость. Все-таки ночь без сна, и волнения всякие, пусть и глупые, беспочвенные, но ведь и они силы забирают. Она скользнула под одеяло и начала проваливаться в забытье, но в последний момент усилием воли выдернула себя на поверхность бодрствования: надо позвонить брату, он ведь беспокоится, как она доехала, как устроилась. Евгений сказал, что его московский приятель обещал помочь с поиском детективного агентства. Этот приятель сам перезвонит Валентине, как только что-нибудь выяснит. Вот теперь можно засыпать.

* * *

Вечером вернувшаяся с работы Нина Сергеевна определила для Валентины порядок пользования кухней.

— Для себя я готовлю такое, что ты есть не сможешь, — весело сообщила она, — все протертое, неострое, несоленое и вообще для здорового человека невкусное. Так что у нас есть три варианта: либо ты готовишь себе сама, либо питаешься на стороне, либо, если хочешь, я буду для тебя готовить отдельно, только ты заранее скажи, что ты хочешь.

На стороне! Еще чего. Деньги надо беречь, мало ли как сложится. Затруднять работающую Нину Сергеевну неловко, да и не стоит, за ее услуги ведь придется, наверное, доплачивать.

— Вы не беспокойтесь, — торопливо ответила Валентина, — я сама буду продукты покупать и готовить для себя.

— Ну смотри, — хозяйка пожала плечами, — делай, как тебе удобнее. Посуду бери любую, кухонной техникой пользуйся, не стесняйся, запретов никаких нет.

— Спасибо. Только вы мне покажите вашу любимую посуду. Ну, чашку там, мисочку, которыми вы всегда пользуетесь. Чтобы я по неведению ее не схватила.

Нина Сергеевна бросила на Валентину острый взгляд и одобрительно кивнула.

— Вот из этой чашки, — она достала из шкафчика и повертела в руках высокий бокал со стилизованным изображением двух разноцветных кошек, — я пью чай. Всегда. Из других чашек мне пить невкусно. А вот из этой, с орхидеями, — кофе.

— Кофе? — удивилась Валентина. — А разве вам можно кофе?

— Нельзя, — рассмеялась хозяйка, — конечно, нельзя. Но я все равно пью. Ровно две чашки в день, одну рано утром, когда только встаю, а вторую — перед уходом на работу. Это единственное отступление от диеты, которое я себе позволяю. Вот в этой кастрюльке я каждое утро варю себе кашу и ужасно злюсь, если вдруг она оказывается занята. Давай, Валюша, поужинаем и пойдем пройдемся по поселку, покажу тебе, где у нас тут магазины, химчистка, как до электрички дойти и все прочее.

— Да я продукты не покупала... — растерялась Валентина.

Неужели придется вместе с Ниной есть «протертое и несоленое»? Кошмар. Правда, от утренней трапезы остались пирожные, кажется, целых пять, но вкупе с уже съеденными тремя это выходило уж слишком. Впрочем, там, кажется, были еще сырники и какой-то салатик. Валентина так крепко уснула, что проспала до самого возвращения хозяйки и о собственном пропитании позаботиться как-то не успела.

— Да уж я понимаю, — в тон ей насмешливо протянула Нина Сергеевна, — но я уже говорила, что день приезда нового жильца — это для меня праздник, а по случаю праздника полагается готовить угощение. Так что сегодня ты — мой гость, а дальше сама решай.

Выспавшаяся и отдохнувшая Валентина не сумела справиться с аппетитом, хотя и давала себе слово после утренних пирожных устроить разгрузку, да еще и готовила Нина Сергеевна, как назло, вкусно-превкусно. Глядя на стоящую перед хозяйкой тарелку с вареной рыбой и бледными тушеными кабачками, Валентина пыталась представить себе, как это, наверное, противно, и от души сочувствовала женщине, отягощенной целым букетом «ливерных» болячек.

Прогулка Валентину несказанно удивила: она отчетливо помнила, что, когда утром машина свернула с трассы на однополосную заасфальтированную дорогу, ехать до дома Нины Сергеевны пришлось довольно-таки прилично, минуты четыре, не меньше, а теперь, ножками, они оказались у пешеходного перехода через шоссе как-то неожиданно быстро.

— Так мы в другую сторону пошли, — со смехом пояснила хозяйка, — здесь одностороннее движение и с короткой стороны въезда нет, только выезд. От въезда далеко, зато от выезда близко. Вот смотри, машина въезжала во-он там, под мостом, видишь?

Валентина послушно кивнула.

— А выезжает здесь, как раз рядом с переходом через трассу. Значит, запоминай: магазины подороже находятся на той стороне, там цены выше, но зато все есть: и продукты, и бытовая химия, и одежда, и спорттовары, и все прочее. Если хочешь сэкономить и делать покупки подешевле, садишься на автобус и проезжаешь ровно одну остановку, там поселок попроще и магазины соответствующие, выбор, конечно, намного скромнее, но и цены помягче. Торговый центр на той стороне круглосуточный, в поселке магазины работают в обычном режиме, с восьми утра до восьми вечера, как в старые времена.

Слушая инструктаж, Валентина про себя решила, что, уж конечно, в дорогой торговый центр она ни за что ходить не станет, в еде она непривередлива, а деньги надо экономить.

— А вы далеко отсюда работаете? — спросила она Нину.

— На той стороне, — Нина Сергеевна махнула рукой в сторону отвергнутого Валентиной торгового рая, — там элитный поселок. Хочешь, пройдемся туда? Покажу тебе свой трудовой фронт.

Почему же не пройтись? Гулять Валентина всегда любила, да и любопытно.

Она почему-то была уверена, что вот они пересекут трассу, обогнут огромное здание торгового центра и сразу же окажутся на месте, но они уже минут двадцать шли и шли вдоль роскошных особняков за высокими заборами, а «трудового фронта» что-то не видать.

— Как далеко, — удивленно произнесла Валентина. — Я думала, это ближе.

— А что, устала?

— Нет, только удивляюсь: неужели вы каждый день в такую даль пешком ходите? Не устаете?

— Почему ты решила, что пешком? — расхохоталась Нина Сергеевна. — Я на машине езжу. Ну ладно, когда я вернулась, ты спала, но уезжала-то я сегодня у тебя на глазах. И ты, между прочим, стояла на крыльце и смотрела мне вслед. Красная «Хонда». Ну, вспомнила?

Валентина сперва опешила, потом невольно залилась краской. Да, есть у нее такая дурацкая особенность: всецело погружаться в свои мысли, причем настолько глубоко, что окружающий мир вообще перестает существовать. В такие минуты Валентина ничего не видит, не слышит и даже не чувствует, а потом страшно удивляется, когда выясняется, что именно в эти самые минуты что-нибудь произошло, а она и не помнит...

— Нет, не вспомнила, — честно призналась она. — Я, наверное, задумалась и все пропустила. Со мной так бывает. Извините.

Она ждала, что сейчас Нина Сергеевна заохает, заахает, всплеснет руками и разразится длинной тирадой насчет того, как это опасно — быть такой невнимательной, ведь эдак можно и в неприятности влипнуть, и под машину угодить, и вора не заметить, но Нина вопреки ожиданиям только молча кивнула, а через несколько секунд заговорила о чем-то совершенно постороннем. Наверное, на своем веку она повидала людей еще и не с такими странностями.

Наконец они остановились перед кирпичным забором с глухими металлическими воротами и расположенной рядом дверью со звонком домофона.

— Вот здесь я и работаю, — Нина Сергеевна нажала кнопку домофона. — Сейчас сама все увидишь. Костик, открой, пожалуйста.

Через пару секунд дверь распахнулась, и Валентина увидела рослого плечистого парня в темно-синей форме охранника.

— Что случилось, тетя Нина? — обеспокоенно спросил он. — Вы же вроде совсем ушли.

— Я свою гостью на экскурсию привела. Познакомьтесь, это Костя, охранник, а это Валечка.

— Здрасть, — буркнул Костя. Он уже успел опытным взглядом неженатого мужика оглядеть Валентину и оценить ситуацию как не представляющую интереса (дамочка старовата, пожалуй), а потому решил не тратить попусту силы на любезности. Разумеется, ему, двадцатидвухлетнему, Валентина в свои тридцать пять, несмотря на безусловную привлекательность, показалась окончательной и безоговорочной старухой.

Валентина уже через минуту пожалела, что согласилась прийти сюда. Ну что интересного можно увидеть в апреле? Листочки только-только начали проклевываться, да и то не на всех деревьях и кустарниках, а о цветах и говорить нечего, кроме крокусов, ничего нет. Да и вообще, неуютно ей как-то, богатый дом, не дом даже, а особняк, почти дворец, три этажа, башенки какие-то, эркеры, каменные лестницы, да еще отдельно стоящий флигель, небось дом для прислуги или гостевой. Наверное, хозяева — очень богатые люди, а богатые люди, как хорошо было известно Валентине, не любят, когда обслуга приводит в дом собственных гостей. И это еще мягко сказано, что не любят. Просто категорически запрещают, а за нарушение запрета могут и уволить. Вот сейчас выйдет им навстречу, к примеру, хозяйка да как начнет орать на Нину, ну в лучшем случае — строго выговаривать, и всем станет неловко, и у

Нины Сергеевны будут проблемы. К чему все это? Надо побыстрее убираться отсюда. Валентина вжала голову в плечи и постаралась стать как можно незаметнее. Нина же Сергеевна, казалось, ни малейшего беспокойства не испытывала, уверенно шагала по участку, который оказался и впрямь немаленьким, и, показывая на невзрачные и ничем, на взгляд Валентины, не отличающиеся друг от друга деревца, кустики и росточки, сыпала знакомыми и незнакомыми названиями и увлеченно рассказывала, как это все будет выглядеть летом и что еще и где именно она планирует посадить.

— Ты чего такая напряженная? — внезапно спросила она, даже не глядя на Валентину. — Что-то не нравится? Или скучно стало?

Надо же! Валентина была уверена, что идущая впереди Нина Сергеевна никак не может заметить ее нервозность. Локаторы у нее, что ли, на затылке?

— Нет, не скучно. Просто я нервничаю. Наверное, вам нельзя посторонних сюда приводить. Я иду и все время жду, что нас кто-нибудь заметит и будет скандал. Очень не хотелось бы.

— Ерунда, — по-прежнему не оглядываясь, ответила Нина Сергеевна, — даже в голову не бери. Я достаточно долго живу на свете, чтобы научиться не делать того, чего делать нельзя. Если я тебя привела сюда, значит, мне это разрешают. Максим Витальевич — хороший мужик, без фанаберии, он, между прочим, страшно гордится тем, что у него садовник — доктор наук, и радуется, как ребенок, когда владельцы соседних домов просят, чтобы я с их садовниками провела мастер-класс. Ко мне сюда постоянно кто-то приходит, это нормально.

Валентина обомлела.

— Вы — доктор наук?

— А тебе Лена не сказала? Доктор, доктор. По нынешним временам докторам наук самое место в садовниках у бизнесменов, — усмехнулась Нина Сергеевна. — Еще спасибо, что не посудомойка и не уборщица. Если бы я осталась на кафедре в Тимирязевке, пришлось бы ездить по два часа в один конец за зарплату, которая в пять раз меньше, чем мне здесь платят. И при этом, с учетом моего возраста, каждый день дрожать, что вежливо попросят на пенсию. А то и невежливо. Вот здесь у меня свободное место, хорошее, полутень, сюда в конце мая я вынесу растения из оранжереи, пусть все лето воздухом дышат и пользуются естественной влагой. К дереву поближе устрою шефлеру, она у меня огромная вымахала, ей нужна опора, а вокруг поставлю юкку и драцены, у меня их шесть штук, все разные и все взрослые, от полутора до двух метров высотой. Представляешь, как будет красиво?

Значит, на Нине Сергеевне не только участок, но и оранжерея. Ничего себе «фронт работ»! Как же она, бедная, справляется? Нет, подумать только, доктор наук! Валентина вспомнила свое первое впечатление о хозяйке и улыбнулась. Недаром, стало быть, ей привиделась Нина Сергеевна за чтением и правкой научного труда. Это еще более удивительно, так как интуиция никогда не была в списке сильных сторон Валентины Евтеевой.

Экскурсия, включающая не только путешествие по участку, но и осмотр оранжереи с подробными комментариями, заняла почти час. Валентина постепенно перестала нервничать и даже немного расслабилась.

— А что, хозяев сейчас нет дома? — спросила она, когда Нина Сергеевна повела ее к выходу.

— Почему же? Полна коробочка. Все на месте. Удивляешься, что мы за целый час ни с кем не столкнулись?

— Ну да, — кивнула Валентина.

— Это нормально. На улице еще холодно, чего им тут вечером делать? А в оранжерею они вообще никогда по вечерам не приходят. Дочке их здесь скучно, она растениями не интересуется, а взрослые в это время ужинают и перед телевизором торчат, если вообще находятся дома, а не в гостях и не на мероприятиях. Ты как, устала?

— Нет, что вы, я люблю пешком ходить и долго не устаю.

— А я вот что-то подустала, — вздохнула Нина Сергеевна. — Целый день на ногах.

Она посмотрела на часы.

— О, как раз сейчас Костик сменяется, он нас и отвезет.

Валентина снова напряглась, на этот раз от злости на саму себя. Ну как же она не сообразила! Ведь Нина действительно весь рабочий день провела на ногах, и экскурсию эту она предложила просто из вежливости, и надо было сразу отказаться, а Валентина, дура любопытная, любительница пеших прогулок, с радостью согласилась, потащила уставшую немолодую женщину в такую даль. Хотя ведь как откажешься, когда человек предлагает тебе показать предмет своей гордости — свою работу? Тоже вроде бы невежливо получается.

Так и промучилась она своими горестными мыслями до самого дома, а потом корила себя за то, что опять ничего не заметила — ни природы, ни деревьев, ни птичек, чирикающих на ветках. Даже какие машины мимо них проезжали — и то не могла бы сказать, да и не помнила, были ли они вообще, машины эти. Может, и не было. И какие деревья росли вдоль дороги, и какие люди попадались им навстречу, и мимо каких домов они проходили — все, все проскочило мимо сознания Валентины, ничего не видела она вокруг, когда задумывалась.

* * *

— Ну как там у тебя, Геля? Скоро?

Вилен Викторович Сорокин заглянул в кухню, где его жена Ангелина Михайловна колдовала возле плиты, от которой по маленькой однокомнатной квартирке разносились запахи одновременно ванили и чеснока. Вилен Викторович с трудом удержался, чтобы не наморщить нос в брезгливой гримасе: он терпеть не мог чеснок и считал, что приличные люди ни за что не станут его есть, если им предстоит с кем-нибудь общаться. Ни чеснок, ни лук. Это просто моветон какой-то. Однако ничего не поделаешь, назвался груздем — полезай... и так далее. Ох, как ему это надоело! Притворяться, угождать, терпеть... Но ничего не попишешь, дело есть дело.

Ангелина Михайловна повернулась к мужу с виноватой улыбкой.

— Еще минут десять, Виленька, и можно будет идти. Потерпи, мой хороший.

— Как ты думаешь, Люся дома? — задал он новый вопрос.

— Да откуда же, Вилюня? Сегодня пятница, она должна быть на работе. И потом, по пятницам Люся обычно после работы ездит к Мариночке, надо помочь ей купить продукты и наготовить еды на все выходные. Нет, раньше десяти вечера ее дома точно не будет. А что? Она тебе нужна?

— Ну, с ней как-то повеселее, она про детей и внуков рассказывает, а нам с тобой это на руку, сама понимаешь. Про больных тоже что-нибудь смешное расскажет. А с этим солдафоном никакого разговора, про детей и внуков ему неинтересно, а про футбол, хоккей и шашлыки на природе неинтересно мне. Нам с тобой, — поправился он торопливо, но и этой маленькой проговорки оказалось достаточно, чтобы Ангелина Михайловна мгновенно напряглась.

Они были странной парой, во всяком случае, именно так считали когда-то их однокурсники и друзья. Ангелина и Вилен учились в институте культуры, он — первый красавец на курсе, где основным контингентом были все-таки девушки, а парней раз, два — и обчелся, и на его внимание претендовали все сокурсницы без исключения. Высоченный, стройный, с породистым, как у актера Николая Черкасова, лицом, выразительными четко очерченными губами, красивыми кистями рук и потрясающим низким глубоким голосом, которым он исполнял песни и романсы, аккомпанируя себе на рояле или гитаре, Вилен всегда был центром притяжения и душой компании. Геля же, маленькая, худенькая, совсем, ну просто совсем некрасивая, с маленькими светлыми глазками и откровенно плохой фигурой, была самой незаметной на курсе, с ней не считались, ее не приглашали на посиделки и девичники, за ней не ухаживали юноши, а девушки не выбирали ее в задушевные подруги и не делились секретами. Геля была никакая. Хотя педагоги этого мнения не разделяли и с воодушевлением ставили ей отличные оценки, потому что Ангелина Ступак знала много, хорошо в этом разбиралась и училась с удовольствием. Каково же было изумление студентов, когда примерно в середине второго курса Вилен Сорокин вдруг заметил Гелю и с того момента больше ни на кого не смотрел! Все были уверены, что это просто мимолетный каприз, «шутка гения» и Вилен бросит серую мышку Гелю Ступак максимум через три-четыре недели, а то и раньше, даже пари заключали на сроки продолжительности их внезапного романа. Однако проиграли все, потому что никто не ставил на тот единственный результат, который в итоге получился: на третьем курсе Вилен Сорокин и Ангелина Ступак поженились.

С тех пор прошло полвека, даже чуть больше, сейчас им обоим по семьдесят два, и они до сих пор вместе. И если Вилен Викторович считает, что так и должно быть, то Ангелина Михайловна все еще влюблена в своего мужа и исступленно боится, что он ее бросит. Ведь он по-прежнему очень хорош собой, тонкое лицо стало только красивее в обрамлении седых волос, да и стати своей он не утратил, остается высоким и стройным, без единого грамма лишнего жирка на боках и животе, а уж его потрясающие руки... А его глубокий голос... Все пятьдесят лет Ангелина только и делала, что следила, не обратил ли ее ненаглядный внимание на какую-нибудь другую женщину, не бросил ли на кого-то заинтересованный взгляд, не говорит ли о ком-нибудь чаще, чем это приличествует женатому мужчине. Вот и соседка Люсенька, Людмила Леонидовна Гусарова, стала для Ангелины Михайловны очередным поводом для ревности. И хотя умом-то Ангелина понимает, что общение с Люсей и ее мужем Львом Сергеевичем — это для дела, это так надо, но вся ее женская сущность противится каждому контакту Виленьки с красивой элегантной соседкой. В родном Новосибирске среди их знакомых не было таких женщин, как Людмила Леонидовна. И так сильно Ангелина Михайловна еще никогда не ревновала.

Вопрос о соседке заставил ее бросить плиту и выйти в прихожую, чтобы в очередной раз осмотреть себя в зеркале. Конечно, сейчас она уже совсем не такая, какой была в институте, когда перебивалась на одну стипендию и те крохи, которые присылали из маленького провинциального городка родители. Да и в женской привлекательности в те годы Геля мало что понимала. Теперь она выглядит ухоженной, потому что тщательно следит за собой, вовремя красит волосы, чтобы спрятать седину под своим «родным» темно-русым цветом, стрижется и делает прическу, и глаза научилась подводить и оттенять таким образом, чтобы они казались больше и выразительнее, хотя теперь, когда веки стали морщинистыми, это стало проблематичным, но Ангелина все равно старается, и одевается она хорошо, к лицу, и дефекты фигуры умело скрывает. Но все равно до Люси Гусаровой, которой всего шестьдесят пять, ей далеко. И от этого щемит сердце, и каждое проявление интереса к соседке со стороны мужа раскаленным прутом впивается в грудь Ангелины Михайловны Сорокиной.

— Все, Виленька, можешь звонить, — сообщила она мужу, вытаскивая из духовки противень.

Вилен Викторович вздохнул и потянулся к телефонной трубке.

— Лев Сергеевич? Приветствую. Выручайте, дорогой мой, — загудел он, — Геля снова напекла на маланьину свадьбу, без вашей помощи нам не обойтись... Да, ваши любимые, с чесноком и копчеными колбасками. И ванильные булочки, они вашей супруге очень нравятся, так что вы уж не бросайте нас в беде, разделите с нами... На работе? Ох, как жаль! Ну ничего, Людмила

Леонидовна вечером придет и чайку попьет с Гелиными булочками... Пиво? Да у нас... Ах, у вас есть? Ну что ж, тем лучше. Вас понял, господин полковник, сию минуту прибудем.

Положив трубку, он еще несколько мгновений задумчиво смотрел в окно, потом повернулся к вышедшей из кухни жене.

— Ждет. Пиво достает из холодильника. Ну что, пойдем? Господи, как мне осточертело это пиво!

— Виля, ну что ты... Ты как маленький. Это ведь не просто так, это для дела нужно.

— Да я понимаю, — снова вздохнул Сорокин. — Идем.

Ангелина Михайловна приосанилась, дала мужу в руки блюдо с чесночно-колбасными булочками, взяла серебряную корзинку с горой ванильных плюшек, и они отправились в квартиру Гусаровых, которые жили на одной лестничной площадке с ними. Они еще не успели нажать на кнопку звонка, как услышали неровный звук шагов соседа — после ранения в Чечне Лев Сергеевич заметно хромал, из-за этого и вышел в отставку.

— Прошу, прошу, дорогие соседи, — радостно заговорил Гусаров. — Пиво ждет, стол накрыт.

Все покатилось по накатанной дорожке, как бывало всегда. Сорокины жили в этом доме уже несколько месяцев, с Гусаровыми познакомились сразу же, в первый же день, и с той поры стали постоянными гостями в их трехкомнатной квартире. Людмила Леонидовна, врач-пульмонолог, много работала, вела прием в поликлинике и консультировала еще в нескольких местах, и кроме того, активно помогала взрослым детям — сыну Леониду, растившему вместе с женой маленького сынишку, и дочери Марине, которая осталась без мужа, но зато с тремя детьми. Лев Сергеевич из-за хромоты редко выходил из дому и был искренне рад новым соседям, которые с видимым удовольствием проводили с ним время. Да еще и подкармливали такой вкуснятиной, какой супруга отставного полковника не баловала, и не потому вовсе, что была плохой кулинаркой, просто времени у нее на такие изыски не было. Работа, дети, внуки...

Лев Сергеевич поглощал булочки с завидным аппетитом и между большими глотками пива делился своими соображениями о перспективах чемпионата мира по футболу. Сорокины слушали, делая заинтересованное лицо, хотя до футбола и до чемпионата им не было ровно никакого дела. С футбола разговор перешел на рыбалку, поклонником которой являлся Гусаров: ходит он плохо, а вот сесть на машину, доехать до озера или реки и сидеть с удочкой — это ж милое дело! При помощи нескольких удачно сформулированных вопросов беседа с рыбалки соскользнула на грядущий дачный сезон, а там уж и до собственно семьи Гусаровых оказалось рукой подать.

— Хорошо, что сегодня пятница, — сказала Ангелина Михайловна, — впереди два выходных дня, Люсенька хоть отдохнет немного, в себя придет, это ведь уму непостижимо, как много она работает. Могу себе представить, как она устает.

— Ну да, отдохнет она, дожидайтесь! — оглушительно расхохотался Лев Сергеевич. — Небось завтра с самого утра помчится к Леньке внука забирать, чтобы Ленька с женой от ребенка отдохнули и собой занялись. Или Маринкиных девчонок потащит культурно развиваться. Или саму Маринку в какой-нибудь фитнес-шмитнес наладит.

— Зачем? — удивился Вилен Викторович.

— Ну как же, Маринке-то уже сорок три, возраст сомнительный, времени осталось только на последнюю попытку устроить свою личную жизнь. Вот Люда моя и считает, что Маринка должна тщательно за собой следить, чтобы все-таки найти какого-нибудь мужа, только не такого, какой у нее был, оболтус бессмысленный, а приличного, надежного. И кой черт ее дернул от этого дегенерата троих детей нарожать! Остановилась бы на одном — и хватит. Старшему парню уже семнадцать, считай, взрослый, еще год-два — и от матери оторвется, а так у нее еще две девки на шее сидят, которых растить и растить. Младшей-то девять всего, да и средняя ненамного старше, ей двенадцать.

Прямота Льва Сергеевича убивала супругов Сорокиных. Ну как это можно: про родную дочь так сказать! «Черт дернул детей нарожать». Ужас! Просто верх неинтеллигентности.

— Ну что ж вы так убиваетесь, милый Лев Сергеевич, — мягко улыбнулась Ангелина Михайловна. — Трое детей — это совсем не катастрофа. Вы сами-то троих вырастили — и ничего, все хорошими людьми стали, достойными, профессию получили. Ленечка ваш устроен, бизнесом занимается, Мариночка тоже при деле. А младший ваш...

— Сашка-то? Ну, этот тоже без дела не сидит. Не женится только никак, хотя пора бы уже. А может, это и хорошо, потому как внуков у нас и так уже четверо, и всем помогать надо. Вон Людки никогда дома нет, а если еще и Сашка женится и детьми обзаведется, то я вообще, как жену звать, забуду.

— Счастливый вы, Лев Сергеевич, — подал голос Вилен Викторович, — и счастья своего не понимаете и не цените. Вот у нас с Гелей детей нет, и ждет нас одинокая и пустая старость. А вы с Люсенькой никогда одинокими не будете. Так что не сетуйте, не гневите Бога.

— Ну, Виля, я бы с тобой поспорила, — возразила Ангелина Михайловна, — никогда не знаешь, как жизнь повернется и какие сюрпризы преподнесет, так что нельзя считать, что тебе заранее известно, каким будет будущее. Да что за примерами далеко ходить: взять хоть то, что случилось в нашей квартире. Разве могла эта несчастная предполагать, какой ужас ее ждет? А тоже ведь, наверное, считала, что может что-то планировать, загадывать. Как вы считаете, Лев Сергеевич? Кто из нас прав, я или Виля?

— Это вы в слишком тонкие материи забрались, — снова раскатисто захохотал Гусаров. — Это для меня слишком сложно. Я мужик простой, стихами не говорю, мне бы про футбольчик, про рыбалочку или там шашлычки на даче забацать — вот тут я первый эксперт и главный консультант. Ах, до чего ж вкусно вы печете, дорогая моя Ангелина свет Михайловна, и до чего ж эти ваши булочки чесночные к пиву идут. Да не идут — бегут с крейсерской скоростью. А вы, Вилен Викторович, что-то пиво совсем не пьете, пригубили только. Плохое? Не нравится?

— Что вы, что вы, — торопливо отозвался Вилен, — пиво очень вкусное, просто что-то мне сегодня не пьется, печень с утра, знаете ли...

— Печень? — огорчился Гусаров. — Это жаль. Это плохо. Вы вечером заходите, когда Люда вернется, скажите ей про свою печень, она обязательно что-нибудь присоветует, врач же все-таки.

— Да неудобно вас беспокоить такими пустяками, тем более Люсенька пульмонолог, она по легким специалист, а не по печени, правда, Геля? Мы уж сами как-нибудь, домашними средствами, как привыкли.

— Глупости, — строго заявил Лев Сергеевич, — Люда прекрасно разберется, что к чему, а если и не разберется сама, так направит вас к хорошему специалисту. С печенью шутить нельзя.

— Ой, Лев Сергеевич, — Ангелина Михайловна погрозила ему пальчиком, — уж кто бы говорил, только не вы. Жирное мясо, жареная картошечка, наваристый бульончик, булочки с копченостями — кто все это любит? Кто все это ест, а? И что-то я не слышала, чтобы вы заботились о своей печени и ходили проверяться к специалистам. Впрочем, может быть, вы и правы, — она внезапно погрустнела, — никогда не знаешь, какая болячка тебя подстерегает и вообще, что тебя ждет. Вот та несчастная из нашей квартиры...

Вилен Викторович мысленно поаплодировал жене, которая так ловко вывернула на то главное, что их интересовало. Надо же, из пустого разговора о печени! Ну Гелечка, ну умница!

Однако разговор о «несчастной из соседней квартиры» Льва Сергеевича отчего-то совсем не заинтересовал, и он снова заговорил о своей жене, о том, какой она хороший врач и как много самых разных специалистов она знает, так что при любой болезни можно обращаться прямо к ней, а она уж направит к кому следует.

Блюдо с чесночными булочками опустело, пиво было выпито, и настала пора прощаться. Сорокины вернулись к себе, и Вилен Викторович немедленно кинулся в ванную чистить зубы и мыть руки.

— У меня этот мерзкий привкус пива до сих пор во рту стоит, — пожаловался он жене. — А запах чеснока, кажется, всю одежду и кожу пропитал. Все-таки Лев — чудовищный солдафон с ограниченным кругом интересов, просто не представляю, как мы сможем длительное время с ним общаться.

— Ну что ты, Виленька, — начала успокаивать его Ангелина Михайловна, — мы уже так долго с ними знакомы — и ничего, выдержали. Бог даст, скоро все разрешится, и мы сможем вернуться домой. Ты только подумай, ведь это может случиться каждый день! В любой момент! И — все, мы свободны. Даже и не знаю, так ли уж это будет хорошо. Здесь мы с тобой в центре культурной жизни, в театры ходим, на выставки, на концерты. Надо радоваться, что судьба дала нам с тобой такой шанс, а ты все время недоволен. Ну же, Виля, улыбнись!

Вилен Викторович выдавил из себя вымученную улыбку, потом улыбнулся еще раз, уже свободно и искренне. Геля права, надо радоваться выпавшему им невероятному шансу. А вернуться домой они всегда успеют. Жаль, конечно, что опять у них ничего не вышло, но все же кое-какие подвижки, кажется, намечаются. И потом, Геля правильно говорит, все может случиться в любой день. В любой момент. Надо только набраться терпения.

* * *

Оксана бросила взгляд на часы и расстроилась: до обеда еще долго, а у нее уже все готово, теперь остынет, придется греть, и вкус будет уже совсем не таким. Как-то она сегодня со временем промахнулась. Обычно Борис начинает работать в девять утра, и если пишет с натуры, то к девяти и модель подкатывает, а в два часа дня он делает перерыв, отпускает модель и садится обедать. Вот и сегодня должно было бы получиться точно так же, однако машина, на которой везли модель, застряла в какой-то пробке, в результате работа началась только в десять, даже в начале одиннадцатого, и теперь к двум часам Борис точно не закончит сеанс. Да и Оксана что-то заторопилась, ей показалось, что блюдо, которое она задумала приготовить, потребует больше времени, вот и начала готовить загодя, а теперь выходит, что все уже поспело раньше времени.

Она налила себе чашку чаю, накинула куртку, всунула ноги в коротенькие модные полусапожки — подарок мужа к 8 Марта — и вышла посидеть на террасе, вдохнуть свежего воздуха после стояния у раскаленной плиты. У крыльца маялся дюжий детина — охранник, который сопровождал модель. Вообще-то у модели было имя, но Оксана и не думала его запоминать. Сколько их, этих телок и теток, которых пишет Борис! Неужто всех запоминать? Еще чего! Она их про себя именует одним общим названием: модель. Ну, иногда моделька, если очень уж молоденькая. Правда, не все модели у Бориса женского пола, довольно часто бывают и мужики, но все равно ведь модель, правда же? Раз сидит неподвижно и позволяет себя рисовать, то есть писать, если правильно выражаться, значит — модель, и нечего тут выдумывать.

А Борис-то — мужик с характером, даром что молодой, запрещает всем, кроме домработницы Оксаны и модели, находиться в доме, когда он работает, ему это мешает. Охранники толкутся на участке, кто в машине сидит, кто прогуливается, уезжать-то им не положено, вот и скучают, а Оксана молча злорадствует: не все коту масленица, думают, раз у них мускулатура и пушка на бедре, так перед ними все двери открыты, ан нет, нашлась дверь, которая никогда перед ними не откроется. А за этой дверью — она, Оксана Бирюкова, доверенное лицо, допущенное к «самому Кротову». Вот так-то.

Борис Кротов пишет только портреты, причем пишет только в своей мастерской, и к нему всегда приезжают и сидят часами, пока он работает. Ни для кого не делает исключения, ни к кому на дом не выезжает, вот какой он, ее Борис! И приезжают-то к нему все какие-то... уроды, одним словом, или фифы расфуфыренные, которые бог весть чего о себе понимают, или тетки в возрасте, которые с Оксаной через губу разговаривают, или мужики с такими понтами, что аж жуть берет. И все с охраной, хоть бы кто один простой попался, так нет же.

— Хозяюшка, не подскажешь, долго там еще? — обратился к ней скучающий охранник.

Хозяюшка! Вот именно: хозяюшка, хозяйка этого дома с мастерской, женщина, которая знает каждую вещь, каждую мелочь в этом доме, которая с закрытыми глазами найдет здесь любую бумажку или соринку. И пусть у нее с Борисом нет, не было и быть не может никаких отношений, кроме как у хозяина и домработницы, все равно она в этом доме знаменитого и богатого художника полноправная хозяюшка, и за признание этого факта со стороны Оксана Бирюкова готова даже поступиться принципами и отнестись к охраннику более или менее благосклонно. И вообще, он ничего, этот сегодняшний телохранитель, даже симпатичный. И, главное, вежливый.

— Часа два еще, не меньше, — со знанием дела ответила она. — Ты устал, наверное?

— Нет, ничего, я привычный, — улыбнулся охранник.

Улыбка у него оказалась хорошая, открытая, лоб при этом пошел глубокими морщинами, и это отчего-то умилило Оксану. У ее двадцатипятилетнего сына точно такие же глубокие мимические морщины на лбу, которые появляются, когда он смеется. Очень ей этот парень нравится, настолько, что можно и покормить его.

— Ты поднимись на террасу, присядь за стол, — предложила она, показывая на стул рядом с собой, — отдохни. Хочешь, я тебе чайку вынесу, пару бутербродов сделаю, ты же голодный.

— Ох, спасибо, хозяюшка, — снова улыбнулся охранник, — вот уж не откажусь.

Она оставила чашку на столе и вернулась в кухню. Стала резать белый хлеб и мазать маслом, когда в окно постучал охранник. Наверное, думает, что она забыла о нем, пообещала чай с бутербродами и ушла по своим делам. Оксана открыла окно.

— Я сейчас, чего ж такой нетерпеливый, — с досадой произнесла она.

— Там почту принесли, просят выйти.

— Ой, — она всплеснула руками, — я сейчас...

Она вышла и взяла у почтальона пачку газет, журналов и конверт. Письма Борис получает крайне редко, и всегда это бывают или счета и извещения, или приглашения на какие-то мероприятия, никаких других писем у него не было ни разу, во всяком случае, Оксана их не видела. Да и какие письма в нынешнее время, когда кругом одни сплошные мобильные телефоны и Интернет? Оксана вынесла охраннику чай и еду, быстро допила из своей чашки и пошла разбирать почту. Когда Борис выйдет на перерыв попить кофе, все должно быть сложено, как он любит: ежедневные издания и письмо — отдельно, ежемесячные и еженедельные журналы, которых он выписывает просто огромное количество, — отдельно. Во время перерыва он посмотрит прессу, он всегда так делает.

Закончив разбирать почту, Оксана взялась за приготовление еды на завтра. Сегодня пятница, завтра у нее выходной, и нужно оставить Борису завтрак, обед и ужин. Она осмотрела запасы продуктов в холодильнике и поняла, что для приготовления запланированных блюд много чего не хватает, но сейчас идти в магазин нельзя, с минуты на минуту Борис выйдет на перерыв, и ее обязанность — подать кофе ему и модельке. Потом, конечно, останется какое-то время до обеда, но лучше не рисковать, когда график нарушается — не угадаешь, как потом все сложится. А вот после обеда она помоет посуду и с чистой совестью отправится на рынок и в магазин. А пока займется теми продуктами, которые уже есть, — начистит овощи, натрет сыр, и в кухонных шкафчиках пора порядок навести. Да, так, пожалуй, будет лучше всего.

Она не ошиблась, не прошло и пяти минут, как Борис в сопровождении молоденькой длинноногой модельки вышел из мастерской. Оксана принесла ему, как обычно, крепко заваренный кофе, моделька попросила чаю. Борис, как и всегда во время работы, был сосредоточен и неразговорчив, пил кофе и смотрел почту, на модельку не глядел вовсе, хотя та, намолчавшись за несколько часов, пыталась щебетать и втягивать художника в светскую беседу. Только ничего у нее не вышло. Оксана, поставив кофейник на низкий широкий стол перед диваном и креслами, осталась в дверях, чтобы вовремя заметить, когда Борис допьет кофе, и немедленно налить ему еще одну чашку. Он всегда во время перерыва пьет две чашки, это уже правило, от которого ее хозяин ни разу не отступил. Вот он делает очередной глоток, по представлениям Оксаны — предпоследний, и берет в руки конверт. Вскрывает его, достает листок, сложенный в три раза, как теперь принято, читает, и лицо его делается таким странным, какого Оксана за все годы работы ни разу не видела. Еще раз перечитывает послание, да что там перечитывать-то? Всего одна строчка, Оксане, стоящей у него за спиной буквально в трех метрах, хорошо видно, только слов не разобрать, у нее близорукость, не очень сильная, она даже очков не носит, но с трех метров текста, конечно, не разглядеть. А любопытно — страсть!

Борис недоуменно пожал плечами, бросил небрежно письмо на пачку газет, сделал последний глоток кофе — и Оксана ринулась было наливать вторую чашку, но он жестом остановил ее и направился в мастерскую. Оксана аж остолбенела: впервые за четыре года Борис в перерыве во время сеанса выпил только одну чашку кофе! Не бывало такого.

— А ты чего сидишь? — обратилась она к модельке, которая безмятежно потягивала свой чай маленькими глоточками. — Иди, садись позировать.

— Так я не допила еще! — возмутилась моделька. — И вообще, он меня не позвал. Может, он сейчас вернется.

— Не вернется, — злорадно произнесла Оксана. — И кто ты такая, чтобы он тебя звал и с тобой разговаривал? За тебя заплачено — иди, будь любезна, и сиди сколько надо. Поняла?

Моделька вздохнула, отставила чашку и поплелась следом за Борисом в мастерскую.

Едва гостиная опустела, Оксана немедленно схватила письмо и прочитала: «Я знаю, что случилось с твоей матерью». И правда, ерунда какая-то. Разве с мамой Бориса что-нибудь случилось? Она же была здесь совсем недавно, на той неделе заезжала, осталась обедать, Оксана даже помнит, что подавала овощное рагу и запеченную свинину, и так они мило ворковали, и выглядела она на все сто, и настроение у обоих было отличное. И все было хорошо. Что же такое могло с ней случиться? Наверняка ничего плохого, иначе Борис не пожал бы плечами и не пошел бы себе спокойно работать. Одно слово: ерунда.

* * *

Глава частного детективного агентства Владислав Николаевич Стасов слушал посетительницу и с огромным удовольствием смотрел на нее. Вот дает же природа кому-то красоту! Нет, Стасов много красивых женщин повидал на своем веку, даже очень красивых, на одной из них он был когда-то женат, но все эти женщины свою красоту осознавали и вовсю ею пользовались. Валентина же Дмитриевна Евтеева, как она представилась, когда вошла в его кабинет, привлекательность свою, что очевидно, не осознавала вовсе, Стасов отчего-то был в этом уверен. Она не кокетничала, не стреляла и не поводила глазками, не поправляла волосы и даже почти не улыбалась, вернее, совсем не улыбалась. Она строго и сухо излагала свое дело, хотя Владислав видел, какого труда ей стоило не дать волю эмоциям. Крупные кудри пышных рыжеватых волос обрамляли белокожее лицо и оттеняли зеленовато-голубые, почти бирюзовые глаза, точеный носик удивительно гармонировал с некрупными изящными губами, а обаятельная улыбка — единственная, которую Валентина себе позволила в момент знакомства, — открывала ровные белоснежные зубы. И манеры у Валентины Евтеевой были приятными, и голос звучным, но негромким, и одета она была со вкусом, не слишком просто, но и не вычурно, одним словом, элегантно. И Стасов, который, несмотря на любовь к своей жене Татьяне, оставался стопроцентным мужиком и умел ценить женскую привлекательность, к посетительнице проникся и уже заранее решил непременно взяться за ее дело, в чем бы оно ни состояло.

А состояло оно в том, что Валентина хотела найти убийцу своего отца, поскольку милиция в ее родном городе Южноморске в этом почему-то не преуспела. Впрочем, Стасову было понятно, почему: если версия южноморской милиции правильна и отца Валентины убил залетный отморозок, который был уверен, что людей в квартире нет, а чем поживиться — есть, то найти его практически невозможно, потому что он ничего не взял, сбывать ничего не будет и наверняка сразу же уехал из города. Однако если эта версия неверна, то тут вполне можно было бы покопаться. Интересно, почему в Южноморске другие версии даже не рассматривали? Или рассматривали, просто Валентина об этом не знает? Очень может быть, следователи обычно не горят желанием обсуждать с потерпевшими все свои соображения и ход работы. И правильно делают.

Он слушал Евтееву и мысленно делал пометки. Вообще-то обычно он сразу записывал возникающие по ходу идеи в блокнот, но сейчас Стасов поймал себя на том, что не может оторвать взгляд от красавицы-заказчицы. Обворожительная дама, ей-крест!

— Так я могу надеяться, что вы возьметесь за мое дело? — спросила она, закончив изложение.

— Возьмусь, — с готовностью отозвался Стасов. — Но прежде всего я хотел бы обсудить с вами возможные направления нашей работы. Если вы с ними согласитесь, то мы оформим договор и будем работать.

— А я могу не согласиться?

— Конечно. Вам покажется, что то, что я вам скажу, не вызывает у вас доверия к нашей квалификации, и вы сами откажетесь от идеи сотрудничать с нашим агентством. Итак, Валентина Дмитриевна...

— Можно просто Валентина, без отчества.

— Хорошо, — кивнул Стасов. — Вот вам моя первая версия: убийство вашего отца было совершено по корыстным мотивам...

— Ну да, и вы туда же! — с досадой воскликнула она.

— Вы меня не дослушали. Из вашей квартиры все-таки что-то взяли, очень маленькое по размеру...

— Я вам уже сказала: у нас ничего не пропало! — Валентина начала сердиться. — Я не для того к вам пришла, чтобы повторять в тысячный раз одно и то же.

— Послушайте, Валентина, давайте будем последовательными, — терпеливо проговорил Владислав. — В вашей квартире могла находиться вещь или документ, о существовании которого вы даже не догадывались. Вы всю жизнь проживали вместе с отцом?

— Нет, только последние два года, когда он нуждался в уходе и не мог жить один. У меня есть своя квартира, я в ней жила почти десять лет.

— Вот видите. Мало ли какой предмет мог появиться у вашего отца за эти десять лет! И он совсем не обязательно стал бы ставить вас в известность о нем.

— Я не понимаю, — Валентина нахмурилась, — о каком предмете идет речь? Вы что имеете в виду?

— Ну, например, какой-нибудь раритет из разряда фамильных ценностей или предметов коллекционирования.

— У нас нет и не было фамильных ценностей, — отрезала она. — И папа никогда ничего не коллекционировал.

— Возможно, и так, — кивнул Стасов. — Но ведь он был врачом, детским хирургом, и, как вы мне сказали, очень хорошим хирургом. На его счету сотни спасенных жизней. Кстати, у вас есть дети?

— Нет, — она слегка оторопела. — Это вы к чему?

— А к тому, что у меня, например, двое детей, и я точно знаю, что для хирурга, который бы их спас, я бы не пожалел ничего. Благодарные родители могли сделать вашему отцу любой подарок, в том числе, например, редкую монету, или марку, или набросок, сделанный известным живописцем. Или оригиналы писем известного писателя. Насколько я помню из школьного курса литературы, в вашем замечательном городе в прошлом, нет, теперь уже в позапрошлом веке любили отдыхать и строили дачи многие классики русской словесности, я не ошибаюсь? Я также не исключаю ювелирное изделие. Отказаться от подарка ваш батюшка не смог или не захотел, но и извлекать из него выгоду тоже не спешил, просто спрятал где-то у себя дома. Могло такое быть?

— Но... я об этом ничего не знаю... папа никогда не говорил...

— Это не значит, что этого не было, — твердо произнес Стасов. — Вполне могло быть. А тот факт, что в квартире порядок не был нарушен и никаких следов разгрома и поиска вы не заметили, говорит только о том, что преступник точно знал, где этот предмет или документ лежит. То есть преступник — не залетный отморозок, а человек из вашего окружения, тот, кто был близок с вашим отцом и с кем ваш отец поделился информацией.

— Вы говорите ерунду! — рассердилась Валентина.

В этот момент щеки ее вспыхнули румянцем, и Стасов отметил, что она стала еще красивее. Ах, черт возьми, какая женщина! Хотя, кажется, все-таки глуповата... Жаль. При такой-то внешности...

— Все папины друзья, а их очень немного, достойные и уважаемые люди, они не могли...

— Валентина, — улыбнулся Стасов, — поверьте мне, в ваших словах нет ни капли здравого смысла. Я перевидал на своем веку сотни бандитов и убийц, и у каждого из них были родные и близкие, которые с пеной у рта уверяли меня в том, что «они не могли». Кроме того, друзья вашего отца могли тоже с кем-то поделиться информацией. Сведения об этом предмете или документе могли разойтись как угодно далеко. Просто вы остались в неведении, но так часто случается. Итак, это я вам предлагаю в качестве первой версии. Теперь вторая: наследство.

Брови Валентины немедленно взлетели вверх, глаза яростно сверкнули.

— Вы хотите сказать, что я убила папу из-за наследства? Или это сделал мой брат?

— Это всего лишь версия, и я обязан ее рассмотреть, если я добросовестный следователь. И тот сотрудник, которому я поручу работать по вашему делу, тоже обязательно примет ее во внимание.

— А разве вы не сами?..

Валентина явно растерялась, и Стасов с трудом сдержал улыбку.

— Разумеется, я поручу ваше дело толковому и знающему специалисту, имеющему большой опыт в раскрытии убийств, в этом вы можете не сомневаться. Я далек от мысли, что вы сами, будучи убийцей, пришли ко мне заключать договор. Но что касается вашего брата, то...

— Вы не смеете так думать! Женя тут совершенно ни при чем!

— Все бывает в этой жизни, дорогая Валентина Дмитриевна, — вздохнул Стасов. — И давайте договоримся с вами: или мы заключаем договор и ищем убийцу, или мы принимаем во внимание только ваши эмоции и делаем только то, что вы лично считаете правильным. Но для этого вам вовсе не обязательно платить нам деньги, вы все это можете сделать сами и бесплатно.

— Простите, — виновато пробормотала Валентина, — я действительно погорячилась. Но вы должны меня понять: сначала вы подозреваете папиных друзей, которых я очень уважаю, потом обвиняете моего брата, у меня просто нервы не выдержали.

— Хорошо, проехали, — великодушно сказал Стасов. — И, наконец, третья версия: убийство могло быть совершено по личным мотивам, например, из мести. Есть люди, которые могли бы за что-то мстить вашему отцу?

— Нет, — Валентина покачала головой, — папу очень уважали и любили, он был прекрасным хирургом, великолепным специалистом. Он всю жизнь лечил детишек, из благодарных родителей можно целую армию собрать. Папа больше двадцати лет, вплоть до болезни, заведовал отделением хирургии в детской клинической больнице. Ну какая может быть месть старому врачу? У папы никогда не было не просто врагов, а даже и недоброжелателей. И вообще, Владислав Николаевич, я считаю, что вы все-таки не правы насчет Жени.

— Почему? — прищурился Стасов.

— Даже если допустить, что Женя виноват... это немыслимо, это совершенно невозможно, но если рассуждать теоретически...

— Ну-ну, — подбодрил он ее.

— Какой ему смысл убивать папу из-за наследства, если папе жить оставалось всего несколько дней, максимум — неделю? Это же нонсенс!

Молодец, соображает, одобрительно подумал Стасов. Может, она не такая уж и глупая?

— Знаете, часто в бизнесе бывают ситуации, когда нужно срочно и немедленно подтвердить свою кредитоспособность, иначе сделка не состоится. И ждать нельзя ни недели, ни дня. Или речь могла идти о крупном долге, и вашему брату необходимо было подтвердить, что он все отдаст. Всякое случается.

— Но у Жени не было долгов!

— Ну вот, опять, — Стасов укоризненно покачал головой. — Мы же с вами договорились, кажется: то, что вы чего-то не знаете, не означает, что этого не было. Вы живете вместе с братом? Участвуете в его бизнесе? Он делится с вами каждой мелочью?

— Нет...

— Тогда и говорить не о чем. Все надо проверять, от первого до последнего факта. Ну так как, Валентина? Будете заключать с нами соглашение? Или моя позиция вас не устраивает?

Она задумалась на несколько мгновений, в течение которых Стасов продолжал откровенно любоваться ею. Будет жаль, если она откажется, он с удовольствием встретился бы с ней еще разочек. Или даже два. Разумеется, в сугубо служебной обстановке. Просто ради чисто эстетической радости посмотреть на красивое.

— Я готова подписать соглашение, — решительно произнесла Евтеева. — Только у меня просьба: пусть ваши сотрудники немедленно принимаются за дело. Пусть как можно скорее едут в Южноморск и начинают работать. Прямо завтра же.

— Завтра не получится.

— Почему? — огорченно спросила она.

— Поездку нужно готовить. Сегодня мы заключим соглашение, я решу, кому поручить ваше дело, этот сотрудник должен будет закончить текущую работу, взять билет, встретиться с вами и подробно вас расспросить обо всем, чтобы составить план мероприятий, потом я этот план должен изучить и утвердить или вернуть на доработку. Одним словом, некоторое время должно пройти.

— Хорошо, тогда обещайте мне, что это время не окажется слишком долгим. И потом, о чем нам еще разговаривать с вашим сотрудником? Я вам все рассказала. Все, что знала, больше мне добавить нечего.

— Это вам только так кажется, — улыбнулся Стасов.

* * *

И на этой работе у нее тоже нет выходных. Что на Петровке работала, что у Стасова в частном агентстве — результат один: если работа не сделана, то и выходных не будет. Настя Каменская тяжело вздохнула и еще раз посмотрела на календарь: пятница, 23 апреля. У всех нормальных людей завтра суббота, послезавтра — воскресенье, а у нее одни сплошные пятницы, плотно смыкающиеся с понедельниками. И никакого зазора между ними. Правда, Стасов все-таки нормальный человек, и каждый раз после сданного отчета о выполненном задании предоставляет ей выходные дни.

Календарь, на который она смотрела, висел в приемной руководителя фирмы, в которой Настя в данный момент собирала информацию, необходимую для выполнения очередного поручения. Ей нужно было встретиться с этим руководителем, который вот уже третий день не мог найти время для двадцатиминутной беседы с ней, и Настя снова сидела в приемной и ждала: все-таки она выбила из секретаря обещание до конца дня получить доступ к телу, то есть аудиенцию.

В сумке затрещал мобильник, звонил Стасов.

— Ты где?

— Жду, — уныло сообщила Настя. — Обещал принять.

— Как освободишься — приезжай на базу, есть разговор.

— Серьезный? — насторожилась она.

— Вполне. Новое дело, как раз для тебя, по твоей специализации. И работать надо начинать срочно.

— Но у меня...

— Я прекрасно знаю, что у тебя, — отрезал Стасов. — Срочность тоже надо понимать разумно. Три-четыре дня у тебя есть, как раз успеешь закончить. Одним словом, приезжай, я тебя введу в курс дела, и начнешь готовиться.

— А завтра нельзя? — жалобно спросила она. — Стасов, я устала как собака и есть хочу. Давай я завтра приеду, а?

— Каменская, знаешь, чем отличаются начальники от подчиненных?

— Начальник всегда прав, — отчеканила она. — И он умнее по определению.

— Глупая ты, — вздохнул Стасов. — У начальников всегда есть выходные, а у подчиненных — не всегда. Ты все поняла?

— Все. У тебя завтра выходной. Поэтому ты будешь истязать меня сегодня.

— Буду, — пообещал он. — Но за это я накормлю тебя ужином.

— В ресторане?

— Еще чего! Сейчас позвоню, закажу пиццу. Поедим, поговорим. Короче, Каменская, я тебя жду. Постарайся побыстрее.

Строптивый начальник, который никак не хотел ее принимать, как будто услышал этот разговор и проникся к Насте Каменской жалостью, потому что не успела она спрятать телефон в сумку, как секретарь сделала ей знак входить в кабинет. Разговор занял даже меньше запланированных двадцати минут, и уже через полчаса Настя ехала в выделенной Стасовым машине в Перово, где находилась та самая «база» — офис детективного агентства Владислава Стасова. Агентство так и называлось — «Власта», простенько, совершенно объяснимо и без затей. Машин вечером в пятницу по направлению из центра к окраинам города было море, Настя измаялась в пробках и проклинала свою новую работу за то, что теперь она ездит на машине, вместо того чтобы по привычке кататься на метро. Водить автомобиль она не любила и раньше всячески избегала этого, а сейчас деваться некуда, маленький аккуратный серебристый «Пежо» является не роскошью, а необходимым инструментом для работы.

В офис она приехала не только уставшая и голодная, но еще и злая, однако большая пицца с салями несколько примирила ее с действительностью, и она сама не заметила, как, слушая рассказ Стасова, умяла больше половины.

— Владик, я наелась и плохо соображаю, — пожаловалась она, — дай мне все бумажки, я их дома почитаю, обдумаю, а в понедельник поделюсь соображениями.

— Так нет бумажек-то, — развел руками Стасов. — Я ничего не записывал.

— Как — не записывал? — изумилась Настя. — Почему?

— Да вот как-то так вышло. Уж больно хо-
роша деваха, глаз не мог отвести, — честно
признался он.

— Деваха? Сколько же ей лет?

— За тридцать. Кажется, — уточнил он. —
Я в ее паспорте год рождения забыл посмотреть.
Так что придется тебе, Каменская, на слух вос-
принимать. Какие-нибудь идеи появились?

Настя пожала плечами и задумчиво отрезала еще маленький кусочек пиццы.

— Никаких, помимо тех, которые появились
у тебя. Но версия с кражей кажется мне наиболее симпатичной. Надо бы проверить, не является ли наш доктор Евтеев потомком старин-
ного дворянского или купеческого рода, тогда,
вполне вероятно, у него могла остаться какая-
нибудь реликвия типа кольца или колье. Как раз
то, что надо: маленькое и жутко дорогое.

— Слушай, — рассмеялся Стасов, — у тебя
после командировки в Томилин в голове одни
старинные дворянские семьи. Остынь уже, Каменская, ты в Москве, а на дворе двадцать первый век.

— И все-таки, — упорствовала она. — Это
тоже надо проверить.

— Ладно, это я сам сделаю, если ты настаиваешь. Свяжусь со спецами, которые составляют генеалогические древа, они знают, где искать информацию. Но за твои фантазии мне придется платить, имей в виду.

— Ничего, — усмехнулась Настя, — не разоришься. Кроме того, надо пошустрить среди родителей тех детей, чье лечение не было успешным. Ведь были же такие наверняка, не могло не быть, у каждого врача есть неудачи, а уж у хирурга с таким стажем — сто пудов. Тут тоже может появиться повод для мести.

— Хорошо, — одобрительно кивнул Стасов, — это ты молодец, я как-то не сообразил, даже не спросил ничего об этом у заказчицы. Правда, много времени прошло, доктор-то к моменту убийства уже три года как не оперировал и вообще не работал. Но проверить надо. Еще какие мысли?

— Слушай, — возмутилась Настя, — что ты меня истязаешь? Ты вызови того, кто поедет в Южноморск, и над ним измывайся. Ты что, хочешь, чтобы я тебе вот так, на слух, сразу весь план работы нарисовала?

— Так ты же и поедешь, — невозмутимо отозвался Стасов, отбирая у нее коробку с недоеденной пиццей. — Остановись, беглец бесчестный, я, между прочим, тоже есть хочу.

Настя со стуком положила нож и вилку на покрытый салфеткой стол «для переговоров», за которым они сидели, и уставилась на шефа.

— То есть как это я? Почему?

— Ну а кто же? Кто у нас в конторе главный по части трупов? Если ты в течение двух месяцев следила за неверными супругами и собирала сведения о сомнительных друзьях неуправляемых деток, это не значит, что я забыл, где ты раньше служила.

— Но Мишка Доценко тоже там служил. Почему ты посылаешь меня, а не его? Потому что он твой родственник?

— Потому что у него маленький ребенок, и Ирочка с ума сойдет, если останется одна. Она не справится, ты же знаешь.

— Знаю, — вздохнула Настя. — И когда ехать?

— Чем скорее, тем лучше.

Она недовольно нахмурилась.

— Что за спешка? Ты же сказал, что убийство совершено больше трех месяцев назад. Все равно горячих следов уже нет, а остывшие никуда не убегут.

116

— Понимаешь, заказчица настаивает, чтобы работа началась как можно быстрее. Она нервничает. А чего ты ехать-то не хочешь, я не понимаю? Там сейчас уже совсем тепло, море, солнце, благодать. Встреться с заказчицей, с Евтеевой этой, собери у нее всю необходимую информацию, купи билет да езжай себе с богом. На месте можешь не торопиться, отдохни по возможности, позагорай, поваляйся на пляже, выспись. Когда еще такая возможность представится?

— Стасов, — с досадой произнесла Настя, — ты, конечно, мой шеф, но ты, по-моему, совсем тупой. Вот смотри: сегодня двадцать третье апреля, мне нужно еще два-три дня, чтобы закончить дело и написать отчет, получается двадцать шестое. Потом встреча с Евтеевой — двадцать седьмое. Получается, я смогу выехать в Южноморск не раньше двадцать восьмого. Ну?

— Что — ну? И отлично, и поезжай двадцать восьмого.

— А праздники? Сначала майские — три дня выходных, потом День Победы — тоже три дня. Многие устраивают себе каникулы с первого до одиннадцатого мая. Все разъедутся по друзьям и родственникам, по заграницам или в дома отдыха и пансионаты. И кого я там найду в это время? Какой смысл ехать именно сейчас?

— Каменская, — голос Стасова стал строгим, — я тебе уже сказал: заказчица нервничает и хочет, чтобы работа началась немедленно.

— Так ты ей объясни...

— Я не буду ничего ей объяснять. Она так хочет, значит, так и будет. Она платит деньги за работу, и мы эту работу должны делать, а не выходные с праздниками считать. В конце концов, не все же разъедутся, кто-то и останется в городе, и тебе будет чем заняться. А остальных найдешь и опросишь после одиннадцатого, когда все вернутся. Да не кисни ты, Настасья, — он улыбнулся, — я ведь знаю, о чем ты думаешь: о том, что, если в праздники работы будет мало, тебе придется торчать в этом Южноморске впустую. Угадал?

— Угадал, — кивнула она.

— Выбрось из головы. Я уже сказал: отдыхай, расслабляйся и ни о чем не думай. Считай, что это мой тебе подарок... У тебя же юбилей в этом году, верно? Где-то в середине июня?

Это было правдой, в середине июня Насте Каменской исполнится пятьдесят лет. Цифры пугали и казались пузатыми и отталкивающими.

— Ну вот, — заключил Стасов, — будем считать, что мы договорились. И мне голову над подарком к твоему дню рождения не ломать.

Да, про день рождения это он вовремя вспомнил. Тем более юбилей, будь он неладен. Ведь надо будет как-то праздновать, гостей собирать. Думать над этим Насте Каменской не хотелось, в конце концов, впереди еще полтора месяца. А вот пятнадцать лет со дня свадьбы — это уже совсем скоро, 13 мая. В этот день в 1995 году поженились не только они с Алексеем, но и Настин сводный брат Александр со своей Дашенькой, которая была к тому моменту уже на сносях. И отмечать праздник договорились вместе, только проблема в том, что крутой бизнесмен Александр Каменский постоянно в разъездах, деловых встречах и переговорах, и о том, что 13 мая его не будет в Москве, известно уже сейчас, а когда они смогут наконец все вместе собраться — это большой вопрос. Неужели придется уезжать в Южноморск, торчать там неизвестно сколько времени и памятную дату провести в разлуке с мужем? «Это будет неправильно», — решила Настя и осторожно спросила Стасова, можно ли ей взять с собой в поездку Чистякова. А что? Он ведь приезжал к ней в Томилин, когда она разбиралась там с делом об убийствах пенсионерок, и они провели чудесные несколько дней. Почему бы не повторить опыт? Правда, здесь речь пойдет как минимум о двух неделях, но, с другой стороны, какая Стасову разница? Командировочные он выдаст все равно только на нее, Настю, а Лешка будет жить и питаться за счет их семейного бюджета. Когда они в последний раз были вместе на юге? Она даже припомнить не может. Лет, наверное, двадцать назад.

— Да ради бога, — широко улыбнулся Стасов в ответ на ее просьбу. — Конечно, поезжайте вместе, устроите себе романтические каникулы, отметите дату. А проставляться когда будете?

— Как только Саня с датой определится. Думаю, ближе к концу мая.

— Тогда считай, что я тебе делаю подарок сразу к двум праздникам. Терпеть не могу морочиться с подарками, никогда не знаю, что купить, — сказал Стасов довольным голосом. — Записывай телефон заказчицы, договаривайся с ней о встрече — и вперед. Только текущее дело не забудь закончить.

— Все-таки ты злой, — констатировала Настя.

* * *

Пятница, конец рабочей недели, конец рабочего дня, и Максим Витальевич Крамарев, председатель совета директоров фармацевтического концерна, собрался ехать домой. Он посмотрел в ежедневник и увидел запись еще об одном вопросе, который надо было бы прояснить. Вопрос этот пришел ему в голову еще ранним утром, но в суете он о нем подзабыл. Максим Витальевич нажал кнопку селектора и велел секретарю пригласить к нему Елену Абросимову. Он ни минуты не сомневался, что Елена еще не уехала домой: в концерне не принято было ведущим сотрудникам уходить с работы раньше руководителя.

Елена появилась в его кабинете минут через десять.

— Я слышал, вы кого-то поселили у моей садовницы, — строго начал Крамарев. — Вы давно знаете этого человека? И вообще, кто он, откуда взялся?

— Это очень славная женщина, приезжая. Я не думала, что вы против, — несколько растерялась Абросимова. — Мы часто направляем людей к Нине Сергеевне, она с удовольствием берет жильцов, это обычная практика. Что-то не так, Максим Витальевич? Что-то случилось?

— Пока ничего, — буркнул он. — Но как вы можете быть уверены, что эта баба — не подсадная утка Разуваева? Что вы вообще о ней знаете?

— Я уверяю вас, Максим Витальевич, Валентина не имеет никакого отношения к вашей избирательной кампании. Голову даю на отсечение. Это было совершенно случайное знакомство в поезде, и инициатором знакомства была именно я, а вовсе не она.

— Ну ладно, смотрите там... А то поселится какая-нибудь гнида, вотрется в доверие к Нине, потом в дом пролезет, с моей женой познакомится, начнет вынюхивать. Этого мне только не хватало!

— Я вас уверяю, — снова повторила Елена Абросимова уже более уверенным тоном, — в данном случае ничего подобного не случится.

— Ладно, идите, — Крамарев махнул рукой. — Там в приемной кто-нибудь есть?

— Одновременно со мной пришел ваш помощник. Наверное, ждет, когда я выйду.

— Скажите ему, пусть заходит.

Помощник Крамарева вошел с деловым видом и сразу положил на стол пачку агитацион-

ных материалов Разуваева, конкурента Максима по избирательной кампании в Мосгордуму.
Крамарев пробежал глазами несколько лист-
ков и поморщился. Один из основных пунктов
предвыборной программы Разуваева — предло-
жения по усилению ответственности за наси-
лие в семье против детей, за педофилию, детскую порнографию и так далее. Усиление мер
профилактики, усиление роли органов опеки и
попечительства, господдержка детских домов и
интернатов, одним словом, борьба за здоровое
полноценное детство и за новое поколение.

— Ну-ну, — хмыкнул Крамарев, — скоро
мы посмотрим, какой ты борец за счастливое
детство.

Все основные дела были сделаны, можно и
домой ехать.

Глава 3

Слезы застилали глаза, и Ольга плохо видела дорогу. Пришлось снизить скорость, но останавливаться она не стала, даже и сама не знала почему. Продолжала ехать, давиться рыданиями и в который уже раз за последние месяцы недоуменно размышлять о том, что же случилось. И в самом деле, что? Что произошло? Почему? И кто в этом виноват? Неужели она? Но ведь она не сделала ничего плохого, ничего предосудительного, и Славомир ни слова упрека ей не сказал, напротив, продолжает ей звонить, справляется о настроении, о самочувствии, о работе, утешает, если она признается, что грустит, находит какие-то ласковые и убедительные слова, и в такие моменты ей снова начинает казаться, что все будет хорошо, обязательно будет, уже завтра. Но наступает завтра, она приезжает в дом Крамаревых заниматься с их дочкой арабским языком, и снова ничего не происходит, хотя ей, Ольге, каждый раз кажется, что уж сегодня-то непременно все случится, они встретятся, объяснятся и их отношения будут продолжаться.

Вот и сегодня она вышла после урока и остановилась поболтать с садовницей Ниной Сергеевной, как делала уже много раз за последнее время. Стояла посреди участка и разговаривала с Ниной о девочке Крамаревых и о проблемах педагогики и воспитания детей, а сама каждой клеточкой мозга и всего тела ощущала стоящий справа гостевой домик, где поселился Славомир, и ей казалось, что она даже слышит его шаги по кабинету, улавливает тепло его дыхания. Она вела эти долгие и совершенно ей ненужные беседы с Ниной Сергеевной и ждала: а вдруг он выйдет! Выйдет, подойдет к ним, приветливо поздоровается, заговорит, и можно будет продолжить разговор с ним, отойдя от Нины, и, может быть, выйти, как бы между прочим, вместе за территорию и отправиться на прогулку в лес. И все разъяснится.

Но сколько она ни стояла с садовницей, Славомир из домика не выходил. Однако Ольга не оставляла надежды. И сегодня дождалась.

Пока они с Ниной Сергеевной болтали, он вышел из гостевого домика, кивнул издалека им обеим в знак приветствия и в сопровождении двух охранников вышел за территорию. А ведь мог бы подойти и обменяться с ними несколькими словами, ну хотя бы просто из вежливости. Но он не подошел. Ольга, правда, еще надеялась, что Славомир пойдет гулять вдоль ведущей к трассе дороги, по которой она поедет, и у нее будет возможность притормозить, заговорить с ним и, возможно, погулять по лесу.

Нет, видно, Славомир теперь ходит гулять куда-то в другую сторону или в глубь леса, ведь там множество прогулочных троп. Неужели он действительно избегает ее? Что же все-таки случилось?

Ольга Константиновна в свои тридцать восемь лет имела за плечами одно замужество, но такое давнее и непродолжительное, что и вспоминать не о чем. Была она сухощавой брюнеткой с короткой, под мальчика, стрижкой, в очках и с крупным носом, насчет собственной внешности никаких иллюзий не питала и вполне объективно оценивала свое единственное, на ее взгляд, достоинство — длинные красивые ноги. Но даже их она давно уже перестала подчеркивать ладно сидящими брючками или короткими юбками.

Зарплата в институте иностранных языков у нее была не так чтобы высокая, и за работу у крупного предпринимателя Максима Крамарева Ольга ухватилась с радостью. Девочка, дочка Крамаревых, ей нравилась, она была спокойной, дисциплинированной и толковой, в школе изучала немецкий и английский, но Максим Витальевич смотрел вперед и считал, что знание арабского языка очень поможет девочке при поступлении в МГИМО и в будущей карьере. Ольга занималась с ней уже год, когда в доме Крамаревых появился Славомир Ильич Гашин, ученый-химик, заканчивающий разработку нового препарата, который собирался производить фармакологический концерн Крамарева. Ольга влюбилась в него сразу же, с первой минуты, но, по обыкновению, была уверена в том, что он ее даже не заметил, и как же она обрадовалась, когда уже во время второй встречи с Гашиным выяснилось, что он не прочь поболтать с преподавательницей арабского языка и даже провести с ней пару часов в лесу, на свежем воздухе. Ухаживать за ней он начал в тот же день, говорил комплименты, смотрел тепло и ласково, то и дело, будто невзначай, касался ее руки, и от момента знакомства до настоящей близости прошло всего-то несколько дней. Гашин тогда, лукаво улыбаясь, спросил, в каком районе Москвы она живет, посетовал на то, что совсем не знает эту часть города, и как-то само собой вышло, что она пригласила его поехать вместе на ее машине. Он с готовностью принял предложение, но дал понять, что рассчитывает на чашку кофе у нее в квартире, где они и оказались после того, как Ольга довезла его до своего района и прокатила по двум-трем улицам. Никаких охранников рядом с ним тогда еще и в помине не было.

Она долго не могла поверить в то, что это происходит на самом деле. Гашин, такой невозможно красивый, такой потрясающе образованный, такой умный, — и она, скромная преподавательница не первой молодости и сомнительной внешности. Правда, сам Славомир тоже был немолод, вокруг пятидесяти (отчего-то Ольга стеснялась спросить, сколько ему лет, но отчетливо видела, что он старше ее), но как же он хорош! Черные в прошлом волосы, обильно разбавленные сединой, и сегодня оставались густыми, гладкими и блестящими и лежали волосок к волоску, а гладко выбритое овальное смуглое лицо с темно-карими глазами, оттененными длинными черными ресницами, казалось произведением искусства. Ростом он был намного выше невысокой Ольги и в ее глазах выглядел почти божеством, невероятным и недосягаемым. Что он в ней нашел? За что судьба послала ей, недостойной, такой подарок? И что самое удивительное, в поведении Славомира Гашина не было и намека на то, что он считает их отношения каким-то мезальянсом, он был добрым и внимательным, не допускал никакого высокомерия или пренебрежения к ней. Правда, он был очень закрытым, ни слова не рассказывал ни о себе, ни о своей семье, ни о своей работе, но так, наверное, и должен вести себя ученый, за чьи разработки платятся такие огромные деньги. Единственное, что он довел до ее сведения, это то, что раньше он много лет работал на оборонную промышленность и занимался секретными исследованиями, а в ходе конверсии его лаборатория перешла на разработку лекарственных препаратов для общего употребления.

Их отношения сразу начались с высокой ноты, которая звучала как одно длинное «фермато», не усиливаясь, но и не ослабевая. И вдруг... Вдруг он перестал ездить вместе с ней в город и оставаться у нее ночевать, более того, он перестал разговаривать с ней, встречаясь в доме Крамарева или на территории его огромного участка, кивал, коротко здоровался и проходил мимо. И появились двое охранников, которые следовали за Славомиром по пятам, куда бы он ни направлялся. Первое, что пришло в голову Ольге: он ее бросил. Надоела она ему. Но этого и следовало ожидать, ведь кто она такая, чтобы Гашин долго увлекался ею? Однако он продолжал ей звонить. И быть ласковым и внимательным. Но только по телефону. Несколько раз она пыталась спросить Славомира, что происходит и не обидела ли она его чем-нибудь, но в ответ каждый раз слышала одно и то же: наберись терпения, это временно, работа вошла в решающую стадию, я должен быть максимально собранным и осторожным, мне нужно много работать. То есть он ее не гнал и не отталкивал, но и не приближал к себе. Ну, насчет завершающей стадии секретной работы, о промышленном шпионаже и мерах безопасности Ольга какое-никакое представление имела, поэтому отнеслась к его словам с пониманием, но ведь он ходит гулять, то есть делает перерывы в работе, так почему же...

Она так надеялась, каждый раз входя на территорию дома Крамаревых, надеялась, ведя урок, надеялась, поджидая его после урока в обществе Нины Сергеевны. И сегодня ее надежды рухнули окончательно.

* * *

— Леш, а у тебя будут длинные праздники или два раза по три дня?

Чистяков недоуменно посмотрел на жену, продолжая тасовать колоду карт — он после завтрака этим теплым субботним утром раскладывал пасьянс.

— Длинные, нас всех распустят на каникулы, а что? У тебя есть идеи?

— Есть, — кивнула Настя, — я их озвучу, только ты сразу меня не убивай, ладно?

— Ладно, убью потом. Излагай.

— Леш, меня посылают в командировку.

— Далеко?

— В Южноморск.

— Так это же здорово! — обрадовался Чистяков. — Ты сто лет на море не была. Погуляешь, позагораешь, поплаваешь. Я по телевизору прогноз погоды слышал, там уже совсем тепло. Отлично!

— Леша, куда я поплаваю? — вздохнула она. — Возьми себя в руки. Еще только конец апреля, в море небось не войдешь, вода градусов четырнадцать-шестнадцать.

— Ты права, — погрустнел он. — Но все равно, подышишь морским воздухом, это полезно.

Настя набрала в легкие побольше воздуха и выпалила:

— А поехали вместе, а? Стасов разрешил, я у него спрашивала.

Чистяков перестал раскладывать карты на столе и покрутил пальцем у виска.

— И что я буду там делать? Ты будешь работать, а я? Тебе мешать? Асенька, я тебе совершенно не нужен.

— Нет, нужен, — заупрямилась она, — нужен. Ты вспомни, как было хорошо, когда ты приехал ко мне в Томилин. Мы с тобой гуляли, ходили в кафе, много разговаривали. Да даже просто смотреть телевизор вдвоем, когда мы не у себя дома, а в другом городе, — и то совершенно иные ощущения. Ну ты вспомни! А там все-таки море, и хотя купаться в нем еще нельзя, но наверняка же есть набережная, по которой так приятно прогуливаться или пить кофе в кафешках, есть мороженое. Ну, Леш!

— Это я понял, — задумчиво проговорил Алексей. — Перспектива действительно приятная. Но ты же едешь работать, а не прогуливаться по набережной. Кстати, что ты собираешься там делать? Опять страшного маньяка ловить? Тогда я не согласен. И сам не поеду, и тебя не пущу.

— Да что ты, какие маньяки! Там убили старого доктора, вероятнее всего, попытка ограбления квартиры, но есть версии, что имели место личные мотивы или борьба за наследство. Надо просто пособирать сведения о жизни этого доктора, о его характере, об имуществе, о друзьях и врагах. Ничего опасного, ей-богу!

— Ну и надо было ради этого уходить с Петровки? — проворчал Чистяков. — Все то же самое, только за большие деньги.

— Вот именно, — поддакнула Настя. — Ну так что, едем?

— И когда ехать?

— Знаешь, Стасов настаивает, чтобы мы выезжали как можно скорее, вроде бы так хочет заказчик. Но у меня еще текущее дело не закончено. В общем, я тут поприкидывала, получается, что мы можем ехать числа первого-второго мая. Все равно это выходные дни, включая и третье число, а с четвертого начну работать. Думаю, недели за две управлюсь, так что смогу вернуться ориентировочно числа шестнадцатого. Так как?

Алексей внимательно осмотрел разложенный пасьянс, сделал вывод о том, что он совершенно точно не сойдется, и смешал карты.

— Едем, — решительно сказал он. — Но при одном условии.

— При каком? — насторожилась Настя.

— Мы покупаем тебе солнечные очки со стразами и шляпу, и ты их будешь там носить.

— Зачем? — испугалась она. — Что ты выдумал? Какие очки со стразами?

— Обыкновенные, желательно дорогие. Ты теперь девушка состоятельная, можешь себе позволить такую покупку. Ты едешь на море, на котором не была много лет, и я хочу, чтобы ты выглядела настоящей курортницей, красивой, богатой и беззаботной, как в западном кино. Кстати, а в чем ты собираешься ехать? Тебе есть что надеть?

Об этом она как-то не подумала. Джинсы, брюки, футболки, джемпера — всем этим набит ее шкаф, но все это темное, немаркое и довольно плотное. Летом в Москве она обычно, если было уж очень тепло, просто надевала к тем же джинсам футболку потоньше, с короткими рукавами и отлично себя чувствовала. Почему в этом нельзя ехать в Южноморск? И тут она вспомнила о платье, которое ей в феврале в Томилине сшила Тамара Виноградова.

— У меня платье есть, — гордо заявила она. — То самое, которое тебе так нравится. Оно как раз легкое.

— Ася, а обычный сарафан у тебя есть? Такой тоненький, на бретельках.

— Нету, — протянула она разочарованно.

Значит, Тамарино платье его не устраивает. Жалко. Его как раз можно было бы поносить в Южноморске, в Москве-то его совсем некуда надевать, так и висит без дела.

— А белые брюки?

— Леш, ну какие в Москве могут быть белые брюки при нашей-то грязище и пылище?

— Значит, тоже нету, — констатировал Алексей. — Ты говоришь, едем недели на две?

— Или чуть больше, — на всякий случай опасливо уточнила она. — Возьми несколько дней за свой счет, если можешь.

— То есть нашу годовщину мы с тобой проведем на море?

— Получается, что так.

— Ну что ж, — кивнул Чистяков, — может, это и неплохо. Значит, так, подруга: Тамарино платье ты берешь с собой и надеваешь тринадцатого мая, я заранее приглашаю тебя в ресторан. А мы с тобой сегодня же едем по магазинам и покупаем тебе приличествующую ситуации одежку. И очки со шляпой, это обязательно, без них я не поеду. Аська, у тебя новая прическа, которая тебе дьявольски идет и которая мне дьявольски нравится, и я просто не позволю тебе загубить ее затрапезными тряпками, которые ты постоянно носишь.

В его глазах плясали черти, и Настя внезапно развеселилась. Никогда в ее жизни этого не было: совместный с мужем шопинг перед поездкой на курорт. И пусть это всего лишь командировка, и пусть настоящий курортный сезон еще не начался, но все равно это в первый раз. Надо же, такая простая вещь — и в первый раз, хотя ей совсем скоро стукнет пятьдесят. Как много существует на свете простых вещей, которых не было в ее жизни!

— Договорились! — воскликнула она со смехом. — Но я вношу поправки. Во-первых, мы едем по магазинам не сегодня и даже не завтра, потому что у меня работа, которую я должна закончить перед отъездом в Южноморск. И во-вторых, мы покупаем новые тряпки не только мне, но и тебе. Если я буду красивая и вся в новом, то ты должен мне соответствовать.

— Аська, не валяй дурака, — очень серьезно ответил Чистяков, — у меня полно шмоток осталось после поездки в Майами, они все курортные, легкие, яркие.

— Нет, я настаиваю, чтобы тебе тоже что-нибудь купили, — продолжала дурачиться она. — Например, какие-нибудь немыслимые шорты дурацкого фасона и с вышитыми розочками на попе.

В ответ Чистяков с хохотом запустил в нее вчерашней газетой. Не попал.

* * *

После визита в детективное агентство «Власта» Валентина со дня на день ждала, что позвонит и приедет сотрудник Стасова, ведь Стасов обещал, что человек, которому он поручит ее дело, перед отъездом в Южноморск должен будет встретиться с Валентиной и задать ей еще какие-то вопросы. Но прошли суббота и воскресенье, миновали понедельник и вторник, а ей никто не звонил и никто не приезжал. Она начала нервничать и позвонила Владиславу сама.

— Ваш сотрудник уже уехал в Южноморск, не задав мне ни одного вопроса, — раздраженно заявила она.

— Мой сотрудник еще не уехал, — послышался в трубке спокойный голос Стасова.

— Но почему? Почему он до сих пор не поехал? Чего вы ждете?

— Мы готовим поездку, — невозмутимо отвечал руководитель агентства. — Вам не о чем беспокоиться, вы сделали заказ, все остальное — наша забота. Поезжайте к себе в Южноморск, вам совершенно необязательно сидеть в Москве и ждать. Ждать вы можете и дома.

— Ну уж нет, я останусь в Москве и буду вам регулярно звонить.

— Ну, воля ваша, — вздохнул Стасов. — На мой взгляд, это неразумно, но хозяин — барин.

— Так когда ко мне приедет ваш сотрудник?

— Вам позвонят, — коротко проинформировал он.

И Валентина ждала и нервничала. Ей казалось, что, как только она заключит соглашение с детективами, все начнет вертеться с необыкновенной быстротой и почти сразу же будет результат. Почему-то все происходило не так, и она злилась, только не могла понять, на кого: на Стасова ли, который вроде бы вовсе не торопился выполнять ее заказ, или на себя саму, понадеявшуюся на столичных сыщиков и на собственные невесть откуда взявшиеся представления о том, как они должны работать.

Все эти дни по вечерам Нина Сергеевна вела с Валентиной обстоятельные беседы, и Валентина не переставала удивляться тому, что она кому-то может быть интересной как личность, ведь она прожила всю жизнь в убеждении, что как таковая ничего собой не представляет. Да, она была красивой, даже очень красивой, и знала об этом, но считала (и надо заметить, вполне справедливо), что это не ее заслуга, а просто подарок природы. И если мужчины ею интересовались, то она была уверена, что интересовала их только ее внешность, а вовсе не душевные и интеллектуальные качества, которых у нее, по мнению Валентины, не было вовсе. Поэтому живой и искренний интерес Нины Сергеевны не только удивлял, но и вызывал неожиданное стремление быть откровенной. Нина Сергеевна умела и спрашивать, и слушать, и Валентина сама не заметила, как погрузилась в воспоминания, казалось бы, давно забытых эпизодов своей жизни.

Ей было десять лет, когда они переехали из Руновска в Южноморск и отец, Дмитрий Васильевич Евтеев, стал заведующим хирургическим отделением Южноморской детской клинической больницы. Сама Валя никаких особых перемен в своей жизни в то время не почувствовала, она всегда хорошо училась, была прилежной и примерной, получала пятерки и изредка четверки, и учителя ее хвалили и перед классом, и на всех родительских собраниях. С самого детства она была симпатичной девочкой, потом стала хорошенькой, но среди одноклассников, как говорится в американских фильмах, не была популярной. Ее словно бы не замечали, забывали пригласить на день рождения, а если она заболевала, никто не приходил ее проведать. И нельзя сказать, что ее не любили, нет, не любить Валю Евтееву было не за что, и к ней относились хорошо, ровно, и списывать все время просили, то есть давали понять, что считают ее умной и знающей, но дружить с ней почему-то никто не рвался. И когда выбирали председателя совета отряда, и когда выбирали комсорга класса, ее кандидатуру даже не предлагали к рассмотрению. Валя не понимала, отчего так происходит. Она видела, что популярностью пользуются обычно самые красивые и умные девочки и мальчики, но ведь и она не уродина, а очень даже хорошенькая, и на олимпиадах она побеждает. Почему же все так? Самой яркой девочкой в их классе была Олеся, по мнению Вали — жутко некрасивая, но она ходила с мальчиком из старшего класса, который был настоящей «звездой» — играл в школьном рок-ансамбле на гитаре и очень хорошо пел.

Четырнадцатилетняя Валя долго мучилась и наконец решилась поговорить с матерью. К этому разговору она готовилась, наверное, месяц, все не могла набраться храбрости. Разговор она затеяла во время завтрака.

— Мам, а чем Олеська лучше меня? — робко подступила девочка к тому, что ее волновало в этот момент больше всего на свете.

— С чего это вдруг? — недовольно нахмурилась Александра Андреевна, разбивая в сковороду яйца.

— Ее выбрали комсоргом, а она ведь учится на тройки, и она некрасивая. И на олимпиадах не побеждает, как я. Она в них вообще не участвует, она все время у всех списывает, и у меня тоже.

Валя напряженно замерла, ожидая в ответ каких-то убедительных объяснений, и сама не заметила, как полезла ложкой в мисочку с творожной массой.

— А ты что, хотела, чтобы тебя выбрали комсоргом? Не ешь сладкий творог, он к чаю, дождись яичницу, сейчас будет готово.

Валю покоробило, что мама может замечать такую ерунду и даже говорить о ней, когда речь идет о самых важных на свете вещах, но сдержалась.

— Нет, — соврала она, — я не хотела, чтобы меня выбрали, но я не понимаю, почему мне никто даже не предложил, как будто меня нет. Я же учусь лучше всех в классе.

— Ну, это ты брось. — Александра Андреевна выложила яичницу из сковороды в тарелки и поставила их на стол. — Ешь давай, а то в школу опоздаешь. Дима! — крикнула она в сторону комнаты. — Иди, завтрак готов.

Она поставила перед тарелкой мужа хлеб и масленку, блюдечко с нарезанным сыром, а сама залпом выпила стакан простокваши.

— Ничего не успеваю по утрам, опять опаздываю, — посетовала она. — А насчет своей учебы ты особо не заблуждайся, всегда помни, кто твой папа.

— А при чем тут папа? — не поняла Валентина.

— Ну как же, наш папа — самый известный в городе детский хирург, его все знают, уважают и любят. А у учителей есть дети и внуки. Поэтому ничего удивительного, что тебя хвалят и ставят тебе хорошие отметки. Не оболь-

142

щайся, Валечка. Где моя губная помада, ты не видела?

— В коридоре, на тумбочке, — ответила девочка. — Но я же на олимпиадах побеждаю.

— Ну и что? — Мать пожала плечами. — Там тоже люди сидят, и у них тоже есть дети.

— Но я все равно не понимаю, почему Олеську выбрали, — не унималась Валя. — Почему ее все любят и все хотят с ней дружить, а меня даже не замечают.

— Не морочь себе голову, — откликнулась мать из прихожей, крася губы перед зеркалом. — Дима, все стынет, иди скорее!

Она придирчиво оглядела свое отражение, поправила прядь волос, выбившуюся из прически, потом заглянула в кухню, посмотрела на дочь, ковыряющую вилкой в тарелке.

— Ешь, не размазывай. Да кто ты такая, чтобы тебя замечать и любить? Это для учителей ты папина дочка, а для одноклассников ты никто. В тебе нет интересной личности, вот они тебя и не замечают. Да, ты очень хорошенькая в отличие от этой твоей Олеськи, которая страшна как смертный грех, тут я с тобой согласна, но запомни, Валюша: красота — это не твоя заслуга, это природа так распорядилась. Вон, смотри, твоя Олеська хоть и страшная, а дружит с самым заметным мальчиком из вашей школы, значит, он что-то в ней нашел, то есть она, получается, что-то собой представляет. Она интересная, в ней есть изюминка, иначе он в ее сторону и не посмотрел бы. И вообще, внешность — это не самое главное, главное, чтобы ты была личностью интересной и глубокой. А в тебе ничего такого нет, ты самая обыкновенная девочка. Твоя задача — учиться хорошо. Давай, старайся. Я побежала. Посуду помой, я уже не успеваю.

Валентина осталась со своими неразрешенными вопросами и в тот момент пожалела, что брата Жени нет ни дома, ни вообще в городе: он был старше на целых семь лет и уже учился в институте в Москве. Не с папой же говорить о том, почему ее никто не любит и не замечает...

Александра Андреевна даже не поняла, как важен был для ее дочери этот разговор, как трепетно девочка к нему подступала и как вслушивалась в каждое мамино слово. Мать была занята, ей нужно было накормить завтраком мужа и дочку, привести себя в порядок и не опоздать на работу, и время для столь ответственного разговора Валя выбрала далеко не самое удачное, но она этого не понимала так же, как ее мать не поняла в тот момент, что иногда лучше опоздать на работу, но не ранить подростка необдуманным, брошенным вскользь словом. Однако все случилось так, как случилось, и с того момента Валя стала внимательно присматриваться ко всему происходящему, в каждом факте выискивая и, что самое ужасное, находя подтверждение маминой правоты. Если на нее обращают внимание, то только потому, что она — дочка того самого доктора Евтеева, и хвалят ее тоже только поэтому или, на худой конец, потому, что она очень хорошенькая. Но можно ли этим гордиться и этому радоваться, если внешность — не ее заслуга, а уж про папу и говорить нечего, она к его успехам и славе никакого отношения не имеет. Она — пустое место, ничего собой не представляет, в ней нет изюминки, нет глубины, она никому не интересна. Вот учительница химии хвалит ее за отлично написанную лабораторную работу:

— У тебя несомненные способности к химии, сразу видно, что ты из семьи медиков, у тебя это наследственное.

Прежде Валя не обратила бы внимания на слова о «семье медиков», теперь же они оглушали ее до звона в ушах. «Она помнит про папу, она знает, что я его дочка». Вот на классном собрании решают вопрос, кто будет вручать

9 Мая цветы ветерану войны, приглашенному в школу, и классный руководитель говорит:

— Поручим это Валечке Евтеевой, она у нас очень симпатичная.

«Конечно, — думала Валентина, — не потому, что я лучше всех учусь, не потому, что я самая достойная, а только лишь потому, что природа дала мне красивую внешность, но ведь в этом нет никакой моей заслуги».

Одним словом, всякое лыко с той поры попадало точно в строку.

А вот теперь гостеприимная хозяйка дома Нина Сергеевна, как и обещала, начала изучать свою новую жиличку, задавая ей массу вопросов и внимательно слушая ответы, и Валентина буквально наслаждалась этим неизведанным ранее ощущением, что она кому-то может быть интересной.

Глава 4

Работы оказалось больше, чем Настя предполагала, и до встречи с Валентиной руки у нее дошли только 29 апреля, в четверг. Они созвонились и договорились встретиться в Москве в офисе агентства «Власта». Насте не хотелось тащиться за город по пробкам, и она подумала, что заказчице все равно делать нечего, вот пусть потратит время и подъедет сама.

Она взяла ключи от «переговорной» и устроилась за круглым неудобным столом, включив компьютер и разложив блокнот, ручку, календарь, пепельницу и сигареты. Валентина приехала точно в назначенное время, не опоздав ни на минуту, что несколько расположило к ней Настю, которая почему-то в этот день была сердитой с самого утра.

— Здравствуйте, — приветливо сказала заказчица, — моя фамилия Евтеева, мне назначено...

— Да-да, проходите, — Настя сделала приглашающий жест рукой, — я вас жду.

— Вы?!

— Да, я. А что вас так удивляет?

— Но я думала, что будет мужчина... частный детектив...

— Валентина Дмитриевна, мы с вами дважды разговаривали по телефону, — Настя снова начала сердиться, — неужели мой голос похож на мужской?

— Я думала, это секретарь звонит... простите...

В этот момент Настя Каменская решила, что эту заказчицу она любить не будет. И что так понравилось в ней Стасову? Обыкновенная курица, к тому же не очень умная и не очень хорошо владеющая собой. Могла бы ради приличия сделать вид, что все в порядке и удивляться нечему. Она, видите ли, думала, что будет мужчина! Ей, Насте, пришлось в свое время долго доказывать, что она имеет право заниматься традиционно мужской работой, если любит эту работу и умеет ее делать. Ну, доказала. И даже завоевала на избранном поприще определенную репутацию, не самую, надо заметить, плохую. Так что, ей теперь начинать все заново и доказывать этим частным заказчикам, что она работает не хуже мужчин? Противно. И скучно.

— Меня зовут Анастасия Павловна, — сухо произнесла она. — Фамилия моя — Каменская. Образование высшее юридическое, кандидат наук. Стаж работы в органах внутренних дел — двадцать семь лет, из них в уголовном розыске — двадцать пять. Если вас не устраивает моя кандидатура, вы имеете право обратиться к Владиславу Николаевичу и попросить заменить меня на другого сотрудника.

Заказчица окончательно смутилась и принялась виновато и путано извиняться. Слушать ее лепет Насте тоже было скучно, поэтому она прервала ее:

— Давайте приступим, Валентина Дмитриевна. Рассказывайте все подробно и с самого начала.

Видно, рассказывала Валентина Евтеева свою историю не в первый и даже не во второй раз, а может, тщательно готовилась к разговору, потому что бессвязная путаница из ее речи тут же исчезла, излагала она последовательно и четко. Насчет больного отца, непутевой сиделки, вскрытой двери в квартиру и ненарушенной обстановки Настя все помнила — эту часть информации Стасов донес до нее довольно полно. Теперь следовало прояснить вопрос о размере наследства. На эти вопросы Валентина отвечала с явной неохотой, но все так же четко.

Итак, что мы имеем? Трехкомнатная квартира отца в шестнадцатиэтажном доме постройки примерно 1983—1984 годов, приватизированная, стоимость на сегодняшний день — около 10 миллионов рублей. Услышав это, Настя невольно хмыкнула: порядок цен поистине московский, а еще говорят, что столица — самый дорогой город в стране. Дача у моря, участок размером 10 соток и домик, текущая стоимость рассчитывается, исходя из цены в 70 тысяч долларов за сотку. Господи, да что там у них, Рублевка, что ли, у моря этого? Автомобиль «Мазда» 2002 года рождения оценивается в сумму около 300 тысяч рублей. Выходило, что даже после деления пополам — по числу наследников — наследство выглядело вполне весомым.

— Вы прописаны в квартире отца? — спросила Настя.

— Нет, у меня своя квартира. Я просто жила вместе с папой, пока он болел.

— Значит, квартиру отца вам тоже придется делить с братом?

— Ну да, естественно.

Настя быстро прикинула в уме цифры и получила примерно по полмиллиона долларов на каждого наследника. Что ж, сумма немалая, и за меньшее убивали. Так что все слова Валентины о том, что ее брат не может иметь к смерти отца никакого отношения, придется делить на сто двадцать. Сестра выгораживает брата, это совершенно естественно. Как бы не оказалось, что и сестрица причастна к преступлению. Хотя зачем ей в таком случае нанимать частного сыщика? Правда, истории известны такие случаи, вот, например, Стасова в свое время тоже наняли сами преступники, да за большие деньги, просто у них выхода не было. Может быть, и здесь такая же история? Валентина Дмитриевна уверяет, что идея обратиться в частное агентство принадлежит именно ей, а брат только оказал финансовую помощь. А вдруг все совсем наоборот? Идея принадлежит брату, и он буквально заставил сестру ехать в Москву, и денег дал, а сестре эта затея совсем не по нутру, но отказаться она не может — повода нет. Надо обязательно встретиться с Евгением Евтеевым и выяснить, что там и как. А Валентина-то Дмитриевна явно не хочет, чтобы Настя с ним встречалась, вон глаза как сверкают и щеки горят, ни при чем тут мой брат, да как вы можете такое подумать, да я голову дам на отсечение... Знаем мы эти отсеченные головы.

— Теперь давайте поговорим о друзьях вашего отца. Мне нужны их имена и адреса, а также характеристики. Какие они люди, чем занимаются, каков уровень их доходов.

— Я не понимаю, зачем вам это? Папины друзья — уважаемые люди, кристально честные, абсолютно порядочные, я могу поручиться за каждого из них. Вы не можете...

Ну, снова-здорово! Только-только закончили с братом, теперь с друзьями отца та же история: вместо того чтобы четко и конструктивно отвечать на вопросы, заказчица начинает выплескивать эмоции, принимая собственное субъективное знание за истину в последней инстанции. Как же Настю это раздражает! Она подумала о том, что ее нынешняя работа в принципе мало чем отличается от работы на Петровке. Она-то думала, наивная, что частный детектив имеет возможность заниматься только тем, чем хочет, а оказалось, что и тут надо иметь дело с людьми, которые ей неприятны, только потому, что так велел ее начальник, которому этот человек почему-то приглянулся. В общем, никакой разницы, только полномочий меньше, а денег больше.

Прорвавшись сквозь поток уверений в честности и порядочности друзей покойного Дмитрия Васильевича, Настя все-таки составила список, довольно куцый, с именами и номерами телефонов.

— Кстати, а фамилию следователя, который вел дело, вы не помните?

— Помню. Неделько.

Эта фамилия тоже нашла положенное место в Настином блокноте. Затем последовали вопросы об имеющихся в семье ценностях, раритетах и предметах коллекционирования. Ничего этого, по словам заказчицы, у них не было, если не считать ювелирных украшений покойной матери, которые все остались в целости и сохранности, хотя лежали в легкодоступном месте — в шкатулке, стоящей на полке с книгами.

— Валентина Дмитриевна, вы категорически настаиваете на том, чтобы я выезжала в Южноморск немедленно? — спросила Настя. — Хочу вам напомнить, что впереди длинные выходные, минимум — шесть дней вразбивку, максимум — одиннадцать дней подряд. Мне будет трудно

найти всех интересующих меня людей и собирать информацию, потому что на праздники все
разъедутся. Это превратится в бессмысленную
трату командировочных, причем за ваш же счет.
Может быть, вы не будете возражать, если я поеду после одиннадцатого мая?

— Нет, — горячо возразила Евтеева, — поезжайте, пожалуйста, как можно скорее. Не все
ведь уедут, я уверена, что многих вы сумее-
те найти. Я очень вас прошу, — она взглянула
на Настю с такой мольбой, что та дрогнула. —
О деньгах не беспокойтесь, они у меня есть, а
если не хватит — брат добавит, он обещал. Вы
поймите, мне трудно жить с мыслью, что ничего не делается для того, чтобы найти убийцу
отца. Пожалуйста, поезжайте быстрее, я хоть
буду спать спокойно.

— Хорошо, я вылечу в ближайшее время, —
пообещала Настя. — Скажите, а как у вас в городе с гостиницами?

— Гостиниц полно, — улыбнулась Валентина, — и места в них всегда есть, даже в раз-
гар сезона.

— Неужели? — удивилась Настя. — Я думала, что в курортном городе это проблема.

— Да ну что вы, — махнула рукой Евтеева. — У нас отдыхающие предпочитают се-

литься в частном секторе, там дешевле. Вот вы посчитайте: в частном секторе можно снять койко-место за пятьсот-семьсот рублей в сутки, правда, далеко от моря и без удобств, а если поближе и с удобствами, то уже тысячи за полторы, а в гостиницах стоимость номера от двух с половиной тысяч в сутки. Чтобы отдохнуть дней двадцать, нужно иметь как минимум пятьдесят тысяч рублей только на проживание, а ведь еще дорога и питание, цены-то у нас в Южноморске почти московские. Меньше девяноста тысяч на одного человека никак не выходит. А у кого есть такие деньги, тот лучше поедет в Турцию или в Грецию, там хоть погода гарантированная, и море чище, и сервис лучше.

Насчет московского уровня цен в Южноморске Настя что-то сильно засомневалась, однако слова Валентины «вот вы посчитайте» сыграли свою роль: Евтеева стала казаться куда симпатичнее. Цифры Настя любила, дружила с ними, доверяла им, и каждый, кто легко оперировал цифрами, вызывал у нее неизменную симпатию. И рыжеволосая заказчица с бирюзовыми глазами стала казаться уже не такой противной и глупой. И вообще, она, похоже, очень славная, только излишне эмоциональная.

— Может, посоветуете какую-нибудь гостиницу поприличнее, с хорошим сервисом, желательно с бассейном, но не запредельно дорогую? — попросила она. — И к морю поближе.

— Я позвоню папиному другу, Николаю Степановичу, я вам про него говорила. У него своя гостиница, маленькая, всего десять номеров, но очень уютная. И от моря близко, и цены приемлемые. Хотите?

— Буду вам признательна, — кивнула Настя.

Хозяин гостиницы — друг покойного? Это очень хорошо. У него можно будет узнать много интересного и, будем надеяться, полезного.

* * *

После встречи с Валентиной Настя поинтересовалась билетами на самолет до Южноморска. Естественно, на 30 апреля никаких билетов уже не было — у москвичей тоже праздники, которые они хотят провести у моря, а лететь 1 или 2 мая показалось ей совсем уж глупым. Ну и ладно, они полетят 3-го. А 4-го она начнет работать. Зато у них с Лешкой будут целых три дня на запланированный, но пока так и не осуществленный шопинг.

Распечатав электронные билеты, Настя собрала сумку, сунула в нее компьютер и отправилась домой. Промаявшись в предпраздничных пробках, дома она с удовольствием скинула с себя одежду и открыла шкаф. Надо примерить платье, сшитое Тамарой, и прикинуть, нужно ли покупать к нему обувь, коль уж Чистяков настаивает, чтобы Настя вышла в нем «в свет».

Платье выглядело как-то иначе, не так, как зимой, когда Настя надевала его в первый и в последний раз. Что с ним не так? Не могло же оно измениться, находясь в шкафу! Платье то же, и Настя Каменская та же, а общая картина получается другой.

Настя зажмурилась, подумав, что из-за стояния в пробках у нее просто слегка помутилось сознание и отказывает зрение, постояла так несколько секунд, открыла глаза и снова принялась вглядываться в свое отражение. Нет, что-то не то. Но что?

И вдруг до нее дошло: прическа! Тогда, зимой, у нее была свежая и очень стильная стрижка, которую ей сделала все та же Тамара Виноградова, а теперь волосы отросли и имели совсем другой вид. Поэтому и общая картина не выглядит такой завершенной и совершенной.

Если она хочет порадовать мужа и сделать ему приятное, надо срочно искать хорошего парикмахера. Только вопрос: где и как его искать?

Вообще-то вопрос с парикмахером уже вставал перед Настей в конце марта, когда она готовилась идти на банкет по случаю пятидесятилетия своего мужа Алексея Чистякова. Тогда она обратилась к Даше Каменской, жене своего брата Александра, с просьбой порекомендовать ей хорошего мастера в хорошем салоне. Даша кому-то позвонила, о чем-то переговорила и отправила ее в салон к мастеру по имени Лейла, красивой темноволосой женщине лет тридцати.

Лейла долго осматривала Настину голову и наконец с восхищением спросила:

— Кто вам сделал такую стрижку?

— Вам что, имя назвать? — нахмурилась Настя, которая не терпела пустопорожних разговоров. Какое значение имеет, кто ее стриг? Важно, чтобы мастер понимала, что от нее требуется.

— Назовите, если не трудно, — попросила Лейла. — Я мастеров высшего класса всех знаю. Просто интересно, кто из них умеет делать такие головы. Потрясающая работа.

— Тамара Николаевна Виноградова.

— Да вы что! — всплеснула руками парикмахер. — Не может быть! А говорили, что она уже не работает и вообще уехала куда-то, чуть ли не в Париж или в Милан. Значит, врут, да? Или вы в Париж к ней ездили стричься?

Знала бы эта черноглазая красавица, в какой Милан уехала Тамара Виноградова! Ей небось и в голову не приходит, что этот Милан находится в провинциальном Томилине, в восьми часах езды на поезде от Москвы.

Настя промолчала, но Лейла не унималась:

— Интересно, а сколько Виноградова берет за стрижку? Наверное, тыщи полторы баксов, не меньше, да?

— Откуда такие цифры? — изумилась Настя, которая, в общем-то, совсем не ориентировалась в ценах на парикмахерские услуги.

Знала бы она, что Тамара бесплатно стрижет пенсионеров... Нет, все равно не поверила бы. Так что и рассказывать правду бессмысленно.

— Ну, если бы у меня был такой талант и столько регалий, я меньше не брала бы, — заявила Лейла. — А как вы к ней попали? Правда, что ли, в Париж к ней ездили?

Она задала еще множество вопросов, прежде чем приступила к работе. Постригла она Настю хорошо, но все равно это было не то. Как-то волосы не так лежали... И еще, после Тамариной работы волосы целый месяц хорошо выглядели, а тут стрижка утратила весь вид после первого же мытья головы. Теперь же Насте хотелось вернуть своей новой прическе былой вид, тот, который ей придали руки Тамары Николаевны. Не ехать же ей в Томилин стричься, право слово! А стричься надо, в этом сомнения нет. Может, позвонить Тамаре и спросить, кого из своих оставшихся в Москве учеников она может порекомендовать? Да, наверное, это будет самое правильное, Тамара должна знать их способности и возможности. Тогда, в марте, Насте и в голову не пришло, что можно позвонить Тамаре и посоветоваться с ней насчет мастера, ей казалось, что по ее отросшим волосам и так видно, как они были пострижены, и любой мастер в принципе разберется и сумеет повторить Тамарину стрижку. Оказалось, что это совсем не так, и сегодня, в преддверии 13 мая, ей не хотелось рисковать.

Настя достала телефон и нашла в нем номер Виноградовой. Тамара отнеслась к ее просьбе со вниманием и дала координаты своей ученицы Ульяны.

— Она точно ничего не испортит, у нее очень хороший глаз, — сказала она. — И знаете что, Настенька... Вы сохранили рисунок, который я вам подарила?

Тогда, в феврале, Тамара, прежде чем сделать Насте стрижку, показала ей несколько рисунков — она заранее прикидывала, какую прическу можно сделать из Настиных волос. Настя выбрала один рисунок, тот самый, на котором был изображен ее новый облик, и Тамара его подарила ей на память.

— Сохранила, конечно.

— Возьмите его с собой и покажите Ульяне. Я вам гарантирую, что она в точности сможет повторить мою работу. Как у вас дела?

— Все хорошо, — бодро отрапортовала Настя. — А у вас?

— Тоже все в порядке, спасибо.

— А в клубе как?

— Своим чередом. Готовим новый спектакль, по Мольеру. Приезжайте на премьеру, будет весело.

— Спасибо. А как там Путилины? Приходят? Или перестали посещать клуб?

— Да что вы, каждый день приходят! У них теперь клуб — единственная сфера интересов. Но я так понимаю, что Путилины как таковые вас мало интересуют. Вы ведь про Подружку хотели спросить?

Насте стыдно было признаваться в том, что старая собака интересует ее больше двух одиноких пожилых людей, но так оно и было.

— Подружка стала такая откормленная, — весело сообщила Тамара. — Путилины ее всегда с собой приводят, и мы для нее сделали исключение: разрешаем проводить ее внутрь. Но она очень хорошо себя ведет, ни к кому не лезет, не лает, куски не таскает, ничего не рвет и не грызет. Лежит себе тихонько возле их ног и дремлет. Она все-таки старая, так что спокойная.

После разговора с Тамарой настроение у Насти резко поднялось, даже муторная езда по пробкам как-то забылась. Она дозвонилась до Ульяны и договорилась, что придет завтра прямо с утра.

На другой день она поехала в салон, где работала Ульяна, оказавшаяся полной веселой дамочкой лет сорока с небольшим, показала ей Тамарин рисунок, от окрашивания волос отказалась ввиду нехватки времени и через два часа встала с кресла, вполне удовлетворенная результатом. Теперь можно и платье надеть, стыдно не будет.

Прямо из парикмахерской Настя отправилась к месту встречи с Чистяковым: сегодняшний день они отвели для магазинов и приятных покупок. Она мысленно составила для себя план, в который входили один сарафан на бретельках, одни белые брюки, две майки без рукавов на случай жары, две майки с длинными рукавами на случай прохлады и одна куртка «флиска» на случай холодной погоды. Ну, еще босоножки для платья и какая-нибудь легкая открытая обувь без каблуков типа шлепанцев для того, чтобы ходить в них каждый день. И на этом все. Больше ни одной тряпочки, ни одного предмета. Будем надеяться, что насчет очков со стразами и особенно шляпы Лешка все-таки пошутил.

* * *

Борис стряхнул оцепенение и подошел к зеркалу, по-прежнему держа письмо в руке. Рука с зажатым в ней листком, казалось, занемела, он ее просто не чувствовал. Состояние было странным, и он решил посмотреть на собственное отражение: наверняка лицо его сейчас не такое, как всегда. Может быть, ему удастся уловить, поймать что-то новое в собственном облике, такое, что позволит ему потом лучше понимать других людей, особенно тех, чьи портреты он пишет.

Но из глубины зеркала на него смотрел все тот же привычный Борис Кротов — шишковатый череп, едва прикрытый редкими волосами, нависающие надбровные дуги, глубоко посаженные глаза, чуть кривоватый — перебитый давным-давно в пацанской драке — нос, жесткие тонкие губы. Ничего нового. «И ничего красивого», — мысленно добавил Борис, усмехаясь. Почему нет никаких изменений? Ведь он впервые в жизни стоит бок о бок с явным криминалом, он буквально чувствует дыхание преступника у себя за спиной, дыхание теплое, прерывистое, от которого даже реденькие волосы на затылке шевелятся. А на лице — ничего. Неужели так бывает? Или все-таки он привык к постоянному контакту с теми, кто находится за гранью закона, и уже не реагирует? Но ведь внутри у него все поеживается и встает дыбом от этого письма, уже второго за последнюю неделю. Первое письмо пришло в прошлую пятницу, сегодня снова пятница, 30 апреля, и он держит в руках второе послание неизвестно от кого.

Ему всегда было интересно рисовать людей. Не природу, не машинки и батальные сцены, а только портреты. Он был профессиональным художником, но понимал, что на гонорары не проживешь, и всерьез думал в свое время над тем, чтобы получить другую профессию и именно ею зарабатывать на жизнь, а живопись оставить себе как занятие для удовольствия, для души. И как раз в этот период он, находясь на небольшом греческом острове и с упоением делая зарисовки разнообразных типажей как местных жителей, так и отдыхающих со всей Европы, пришел в ресторанчик, занял, как обычно, столик в углу, достал альбом и принялся работать. Его заинтересовал мужчина, шумно отмечающий какое-то событие в кругу многочисленных приятелей, было в нем что-то беззащитное и детское, несмотря на очевидную «крутизну» и наличие немалых денег. Потом внимание Бориса привлек другой персонаж, сидящий за тем же столом, справа от первого мужчины, хитроватый, немногословный, словно прячущий камень за пазухой. Следующей была девушка, по мнению Бориса, непонятно как оказавшаяся в этой компании: она была какой-то растерянной, будто чувствовала себя лишней и вообще не понимала, что она здесь делает. «Наверное, познакомилась с кем-то на пляже, ее пригласили вечером в ресторан, она пришла и оказалась вместо романтического ужина на разгульной новорусской вечеринке. Приличная девчонка, совсем не похожа на тех, кого обычно приводят в такие компании», — подумал Борис, пририсовывая скорбную складку возле ее пухлых губ. Закончив набросок девушки, он приступил уже было к вальяжному рыжеватому блондину в годах, стараясь передать выражение снисходительной усталости, мелькающее на его лице, когда к столику подвалили два плечистых бодигарда.

— А ну дай сюда, мазила! — с этими словами один из телохранителей вырвал у Бориса альбом.

Борис промолчал, даже сопротивляться не стал, он слишком хорошо знал, что связываться в таких случаях не стоит, лучше перетерпеть и переждать, когда все само собой уладится. А в том, что все как-то уладится, он не сомневался ни одной минуты, ведь он не сделал ничего плохого, не украл, не обманул, он просто рисовал, причем в общественном месте, так что и того, что принято называть красивым английским словом «прайвеси», не нарушил. Конечно, бодигарды выглядят устрашающе, и глаза у них бессмысленные, и рожи тупые, но ведь не они принимают решения, а их хозяева, а в разумности хозяев Борис не сомневался: он наблюдал за этими людьми уже два часа, и впечатление они производили вполне адекватных личностей.

Альбом из рук бодигарда перекочевал в руки вальяжного блондина, второй же охранник на всякий случай врезал Борису, да так сильно, что тот упал на пол и скорчился от боли. «Терпи, — твердил он себе, вытирая ладонью кровь, сочащуюся из рассеченной губы, — не поднимай шума, тебе только греческой полиции для полного счастья не хватало. Они сейчас разберутся, все поймут, отдадут альбом... Терпи, не возникай, тебе одному с ними все равно не справиться».

Разобрались действительно очень быстро. Вальяжный полистал альбом, остановился на одном из рисунков, сперва нахмурился, потом внезапно расхохотался оглушительно и как-то некрасиво, что-то шепнул охраннику и кинул на с трудом поднявшегося Бориса веселый и заинтересованный взгляд. Охранник подошел к художнику.

— Ты... это... ну... извини, промашка вышла. Тебя там зовут... Ну, в смысле, приглашают к столу. Сам дойдешь?

Борис кивнул и миролюбиво улыбнулся. Ну вот, и нечего было бояться, все получилось, как он и предполагал. Сейчас извинятся, вернут альбом и предложат сто долларов в виде компенсации за моральный и физический ущерб, и на этом все закончится.

Но закончилось все не так. Его подвели к вальяжному, который коротким жестом дал понять человеку, сидящему рядом с ним, чтобы тот освободил место. Бориса усадили, налили ему стакан виски, тут же появилась чистая тарелка, на которую официант принялся накладывать разнообразные закуски. Пить Борис не стал, он питал давнее и стойкое отвращение к алкоголю.

— Будем знакомы, — вальяжный протянул Борису руку, — Павел.

— Борис, — коротко представился художник.

— Давно здесь?

— Вторую неделю.

— А я уже месяц прохлаждаюсь. Хорошо тут, — Павел мечтательно улыбнулся, — море, ветерок; не жарко. И главное — жратва подходящая, рыба свежая, морепродукты всякие, фрукты, овощи. В Москве-то все или перемороженное, или парниковое, жрать невозможно, никакого вкуса. Так что тут мне самое раздолье, и сыт — и здоров. А ты, стало быть, художник?

— Да, что-то вроде, — осторожно ответил Борис.

— Посмотрел я твои эскизы. Понравилось мне. Молодец ты, парень, в самый корень зришь, всю сущность человека наружу вытаскиваешь. И откуда у тебя такой глаз наметанный?

— Не знаю, — Кротов пожал плечами, — от природы, наверное. Просто я люблю людей, они мне интересны.

— Любишь? — брови вальяжного Павла взлетели вверх. — Да за что же их любить-то? У каждого внутри такая помойка, что аж вонь стоит. Человек зачат в грехе и рожден в мерзости, и путь его — от пеленки зловонной до смердящего савана, так, кажется?

— Вроде так, — согласился Борис. — Но все равно в каждом есть что-то такое... И мне всегда интересно, что там внутри намешано.

— И что, никогда не ошибаешься?

— Откуда же мне знать, — обезоруживающе улыбнулся Кротов, — это знает только тот, чей портрет я пишу.

— Молодец, — снова одобрительно кивнул Павел, — осторожный. Осторожный, аккуратный в словах — значит, умный. Мой портрет напишешь?

— Легко. Только вам не понравится, придется подолгу сидеть неподвижно, позировать.

— Это ничего, иногда и посидеть полезно, о бытии бренном поразмышлять. Наброски у тебя дельные, все нутро наружу выворачиваешь. Щуплый на твоем листке как на ладони.

— Щуплый? — переспросил Борис. — Это кто?

— А это вон тот, — Павел показал на хитреца «с камнем за пазухой», — мой серый кардинал. Я всегда чуял, что он советы мне дает в основном в свою пользу, но сомневался, думал, не может такого быть, я ж его из грязи вытащил, с улицы взял, пригрел, работу дал, деньги плачу ему огроменные, не может он мне отплатить черной неблагодарностью. А ты пришел и сразу все увидел. Значит, не подвела меня чуйка. Выкину его к чертовой матери, пусть в другом месте козни свои строит. И девочку ты правильно ухватил, она здесь действительно случайная, не место ей в нашей тусовке. Короче, берешься за мой бессмертный облик?

— Берусь. Только я не понимаю, зачем это вам? Вы и так про себя все знаете. А вдруг вам не понравится то, что я увижу и напишу?

— Это ты не бойся, — усмехнулся Павел. — Если мне не понравится, я твою картинку никому показывать не стану, в чулане запру и буду сам на нее потихоньку посматривать. А деньги я тебе в любом случае заплачу, не сомневайся. Хорошие деньги, большие.

Он нагнулся к Борису и прошептал ему на ухо:

— Я тебе секрет открою. Мне одна из моих баб как-то сказала, что мы сами себя никогда не видим так, как нас видят окружающие. Мы о себе одного мнения, а на окружающих мы производим совсем другое впечатление. И иногда очень полезно бывает знать, как именно тебя видят со стороны, чтобы правильно понимать, почему люди тебя так воспринимают и почему так себя с тобой ведут. Понял, художник? Или для тебя это слишком сложно?

Для Бориса это вовсе не было сложным, он это понял уже очень давно, еще с тех пор, как писал первые свои портреты и слушал удивленные восклицания моделей: «Неужели я такой? А я думал, что я...» Но он понимал, что сейчас лучше ничего не отвечать, Павел явно гордится своей продвинутостью и умением рассуждать о таких тонких материях.

— Ничего, — Павел покровительственно похлопал Бориса по колену, — со временем поймешь, молод ты еще. Это сложная мысль, я сам месяца два тужился, пока допер. Значит, договорились?

— Договорились. Когда вы сможете начать позировать?

— Да хоть завтра, прямо с утра давай. Ты где остановился? Скажи мне название гостиницы, завтра в десять утра подъедет машина, тебя привезут ко мне на виллу, и начнем, помолясь.

Это был единственный раз, когда Борис писал портрет заказчика не в собственной мастерской. На самом деле это был его первый заказ, настоящий, с гонораром, и Борис постарался не ударить в грязь лицом. Во время сеансов он вел с Павлом долгие неспешные разговоры, расспрашивал своего заказчика о его детстве, о родителях, о школьных друзьях, о впечатлениях от прочитанных в те годы книг и просмотренных кинофильмов. Павел был значительно старше, и о тех книгах, которые он читал, будучи мальчишкой, Борис зачастую даже и не слыхал, и фильмов тех он не видел, но впитывал каждое произнесенное Павлом слово, обращая особое внимание на интонации и на изменение выражения лица, когда тот вспоминал о тех или иных событиях. В конце концов Борису стало казаться, что он понимает этого человека лучше, чем тот сам себя понимает. Художник не показывал работу и всякий раз увозил с собой подрамник с холстом. Он почти сразу понял, что за полным, мягким, каким-то расплывчатым телом Павла, за его смазанными чертами лица и светлыми с рыжиной волосами прячется жесткий и отчаянно жестокий человек. Ну а о том, что его новый знакомый был криминальным авторитетом, и догадываться было не нужно, это было понятно с самого начала. И Борис с некоторым опасением ждал того момента, когда придется предъявлять результат своего творчества.

И вот настал день, когда работа была завершена. Павел долго рассматривал готовый портрет, потом удовлетворенно кивнул.

— Годится. Ты про меня все понял, молодец, не зря я тебе деньги заплачу. Да, я такой: никому ничего не прощаю, ничего не забываю и жалости ни к кому не испытываю. Повешу портрет у себя в доме, пусть каждая сука знает, что со мной лучше не связываться. И про тебя всем расскажу, — он неожиданно захихикал. —

А что, это будет классная фенька! Сделаю тебя модным художником среди братвы, особенно среди тех, кто стремится стать респектабельным. Пусть заказывают тебе свои рожи, если не боятся, что их слабость и подлость наружу вылезут. А ведь никто не признается, что боится, я эту породу знаю. И будут все к тебе в очередь стоять как миленькие! Они ведь не только свои рожи будут заказывать, они еще и баб своих к тебе потащат, как пить дать. Разбогатеешь, полезными знакомствами обзаведешься, станешь знаменитым и уважаемым, поди, плохо!

Слова Павла оказались пророческими, мода на портреты кисти Бориса Кротова, которому в ту пору было всего-то двадцать четыре года, возникла и окрепла так быстро, что он оглянуться не успел, как стал обладателем домика с мастерской в Подмосковье, хорошей машины и солидного счета в банке. Вкуса к большим деньгам и дорогим подаркам он так и не почувствовал, рассматривая свою работу над заказами личностей с сомнительной репутацией просто как источник средств к существованию. Два раза в год Борис уезжал куда-нибудь в глухие деревни, снимал жилье и целыми днями сидел с альбомом и делал наброски лиц местных деревенских жителей. Человек и отражение его внутреннего мира в его внешности по-прежнему были для него самым интересным и самым привлекательным.

Однако то обстоятельство, что он знакомился с людьми определенного круга и писал их портреты, сделало его вхожим в их дома, пригласить художника Кротова на день рождения, свадьбу, крестины или просто на прием «по случаю» стало хорошим тоном. Тусовок Борис не любил, но в силу некоторых обстоятельств исправно их посещал и со временем начал даже находить в этом некоторую прелесть.

Обстоятельство, заставляющее его ходить на подобные мероприятия, называлось «Ханлар Алекперов», или — для друзей и близких — просто Хан.

И вот теперь, стоя перед зеркалом с письмом в руках, Борис Кротов думал о том, что надо, наверное, позвонить Хану и посоветоваться. Откуда взялись эти странные письма? В первом было написано: «Я знаю, что случилось с твоей матерью». Во втором слов оказалось чуть больше: «Я знаю правду о том, как погибла твоя мать. Тебе интересно?» Ему не было интересно, он прекрасно знал, что случилось с его матерью, ведь это произошло фактически у него на глазах. Он тогда был совсем маленьким, шестилетним, мать жила с очередным сожителем, который, по обыкновению, напился, устроил дебош и в пьяном угаре зарезал любовницу, за что и сел на добрые восемь лет.

Теперь Борису уже тридцать, и никакая правда ему не нужна, он ее и так знает. Но сам факт наличия писем ему не нравится. Нет, все-таки надо позвонить Хану и если не посоветоваться, то хотя бы просто рассказать ему.

Глава 5

1 Мая супруги Сорокины собирались провести в приятных прогулках по Москве, они были уверены, что их соседи Гусаровы на все три дня отбудут на дачу, однако вышедший на балкон Вилен Викторович услышал доносящиеся из расположенной стенка в стенку квартиры оживленные голоса.

— Геля, они не уехали, — сообщил Сорокин жене. — Придется идти.

— Ой, а у меня ничего нет, — испуганно заговорила Ангелина Михайловна. — Я думала, их три дня не будет, и не пекла ничего, только обед для нас с тобой приготовила. Как же мы пойдем?

— Да ничего, просто по-соседски заглянем, не каждый же раз их разносолами угощать.

— Но как-то без предлога неудобно, — засомневалась Ангелина.

— Удобно, удобно, — заверил ее муж. — Скажем, что зашли пригласить их на прогулку, город такой нарядный, и погода отличная.

Они позвонили в квартиру к соседям и увидели Людмилу Леонидовну, которая, уже в туфлях и легком плаще, складывала в сумочку какие-то мелочи.

— А мы были уверены, что вы на даче, — начала Ангелина Михайловна, — заглянули к вам просто на всякий случай. Мы вот с Вилей собрались на Тверскую поехать, по городу погулять... Не составите нам компанию?

Людмила Леонидовна, стройная и все еще очень красивая женщина в модных дорогих очках, смущенно улыбнулась:

— Я бы с огромным удовольствием поехала с вами, но мне нужно вести внука в зоопарк. Сын попросил, Ленечка, взять мальчика, они с женой хотят поехать к друзьям, да пусть развлекутся, отдохнут. Лева, конечно, сердится, ему скучно одному дома оставаться, он планировал, что мы на дачу поедем, но что ж поделаешь...

Ангелина быстрым незаметным движением прикоснулась к руке мужа, и тот правильно понял ее жест.

— А можно, я с вами пойду? — предложил Вилен Викторович. — Мне давно хотелось посмотреть Московский зоопарк, да все никак не выберусь, потому что Геля не любительница диких животных, а одному, знаете, как-то... Вы не возражаете?

Людмила Леонидовна растерялась, но тут вступил Лев Сергеевич, который появился из комнаты и радостно заулыбался гостям:

— Давай, Люся, давай, соглашайся, — загудел он, — когда еще тебе удастся погулять в интересном месте с интересным мужчиной, я для тебя уже не ухажер с моей-то хромой ногой, я больше ста метров ровной походкой не пройду.

— А правда, Люсенька, — тут же подхватила Ангелина Михайловна, — возьмите Вилю с собой, а то он меня этим зоопарком уже измучил, пойдем да пойдем, а мне не хочется. А тут вот и случай подвернулся.

— Да я с удовольствием, — ответила Гусарова, — но как же вы, Ангелина Михайловна? Одна дома останетесь?

— Еще чего! — откликнулся Лев Сергеевич. — Я Ангелину Михайловну никуда не отпущу, мы останемся здесь и будем ждать вас на берегу, правда же, Ангелина Михайловна?

Мы с вами сейчас картишки наладим и отлично проведем время, пока наши половины будут изучать мировую фауну. Ты за нас не переживай, Люся, мы вдвоем не соскучимся.

Людмила Леонидовна и Вилен Викторович отбыли, а Ангелина села играть в карты с Гусаровым. Она отчаянно проигрывала, потому что была невнимательна и не запоминала, какие карты уже вышли, в голове у нее вертелась одна-единственная мысль: ее любимый, ее обожаемый Виля сейчас проводит время с другой женщиной. И даже то обстоятельство, что это происходит по инициативе самой Ангелины и вообще нужно для дела, ее не утешало.

Они вместе уже полвека, золотую свадьбу отметили два года назад, ведь поженились, когда им было по двадцать, а теперь-то по семьдесят два года стукнуло, и все равно Ангелина Михайловна продолжает совсем по-девичьи ревновать мужа, сейчас, наверное, даже сильнее, чем в молодости, потому что последствия его измены и ухода выглядят теперь куда страшнее, чем прежде. Остаться одной в семьдесят два года, без детей, перед лицом не то что наступающей — наступившей старости, когда не за горами болезни и немощность... Всю жизнь Ангелина делала все, чтобы угодить Вилену, чтобы ему понравиться, чтобы его не разочаровать, читала книги, которые были ему интересны, ходила с ним на спектакли, которые он выбирал, и на выставки, и на концерты. Разумеется, сама Ангелина тоже была натурой художественной и очень любила книги, театр, живопись и музыку, но вкус у нее был все-таки несколько иным, и если бы выбирала она, то выбрала бы другое. Но она приучила себя любить все то, что любит Вилен, и в конце концов полюбила по-настоящему, прониклась, прочувствовала, и интерес ее стал искренним и глубоким.

И все-таки она продолжала трястись от страха оказаться брошенной. А Люсенька — она такая... Господи, только бы Виля устоял, не увлекся.

— Ну что это такое, Ангелиночка Михайловна, — протянул Гусаров, — вы сегодня все время проигрываете, так неинтересно. И вроде карта вам идет неплохая. Вы, похоже, не в ударе. На той неделе-то как вы меня разделали! Только пух и перья летели.

— Да, что-то игра не идет, — пожаловалась Ангелина, стараясь не выдать облегчения. — А давайте-ка я вас обедом накормлю, а, Лев Сергеевич? Я сегодня такой супчик сварила — пальчики оближете! С удовольствием вас угощу.

— А я с удовольствием приму ваше угощение, — радостно отозвался Лев Сергеевич, который оказался большим любителем вкусно и обильно поесть.

Ангелина Михайловна принесла из своей квартиры кастрюлю с супом, разогрела, разлила по тарелкам, сверху присыпала мелко нарубленной зеленью и подала на стол. Лев Сергеевич ел и причмокивал, не уставая нахваливать кулинарные таланты соседки.

— А вы что-то плохо кушаете, — заметил он, обратив внимание на то, что Ангелина едва осилила треть тарелки, тогда как его собственная тарелка уже опустела. — Вам нездоровится? Или случилось что?

— Нет-нет, все в порядке. Просто я поля очень чувствую. День на день, конечно, не приходится, иногда и ничего, а иногда бывает, как сегодня, тогда просто кусок в горло не лезет.

— Какие такие поля? — заинтересованно спросил Гусаров. — Магнитные бури, что ли? Так сегодня в прогнозе вроде ничего такого не говорили, геомагнитная обстановка спокойная.

— Да нет, я про другие поля говорю. Про биоэнергетические. Вот в нашей квартире все-таки очень чувствуется, что там произошло страшное несчастье, несмотря на то что уже много лет прошло. А у меня к таким вещам повышенная чувствительность, я даже в вашей квартире это поле ощущаю, у нас с вами ведь общая стена, и через нее все проходит. Не понимаю, как вы здесь живете? Ведь это же просто сил нет терпеть! Почему вы не переедете отсюда? Здесь жить невозможно, разве вы сами не чувствуете? Ну мы с Вилей — ладно, мы сперва эту квартиру купили, а только потом уже узнали про несчастье, хотя я с самого начала чувствовала, что там поле плохое, но надеялась, что это так, по мелочи, ерунда какая-нибудь. Ну а вы-то? У вас же обеспеченные дети, неужели вы не можете обменяться, пусть и с доплатой?

— А мы ничего такого не чувствуем, — весело ответил Лев Сергеевич. — Ангелиночка Михайловна, голубушка, а нельзя ли добавочки попросить? Уж больно хорош у вас супец.

— Конечно, конечно, я сейчас еще подогрею, — заторопилась она.

Ангелина Михайловна принесла добавку и снова завела разговор о полях, «которые она прямо ужас как чувствует и не понимает, как можно жить в таком плохом поле».

— А нам тут отлично, — заявил Гусаров. — И вообще, это все выдумки про какие-то там поля. Вы уж простите, голубушка Ангелина

Михайловна, но я глубоко убежден, что все это пустая бабья болтовня и россказни. Не верю я в это. Я, видите ли, человек, в прошлом военный, стало быть, сугубо материалистически настроенный.

— Нет, Лев Сергеевич, не скажите, — возразила Ангелина, — я много книг по этой проблематике прочла, я ведь сначала тоже ни в какие поля не верила и думала, что просто со мной что-то не так, может, я слишком нервная или еще что. Так вот, я много научной литературы изучила, и там черным по белому написано, что биоэнергетические поля есть, и их даже можно замерять приборами, ученые множество опытов проводили.

— Неужели и книги про это пишут? — неподдельно изумился Лев Сергеевич. — Вот никогда бы не подумал.

— И научные книги, и художественные, и даже пьесы.

— И пьесы? — еще больше удивился он.

— Да-да, представьте себе. Мы с Вилей такую пьесу видели в театре, замечательная была постановка, мы вышли под большим впечатлением. Вот послушайте, я вам расскажу. Значит, так: занавеса на сцене нет, задник оформлен в виде модели атома...

Ангелина начала рассказывать подробно, с деталями, она хорошо помнила этот спектакль, который давала приехавшая в Новосибирск на гастроли труппа Рижского русского драматического театра. Было это давным-давно, еще в советские времена, но память у Ангелины Михайловны Сорокиной была отменной. Она рассказывала и мысленно хвалила себя за сообразительность: так удачно вспомнила спектакль и вывела на него разговор, который начался с недоеденного супа.

— На этом заканчивается первый акт. Антракт. Ой, Лев Сергеевич, я вас так заболтала, что даже второе вам не подала и чаю не налила, что ж вы у меня сидите-то на одном супе! — всплеснула руками Ангелина. — Вам Люсенька второе приготовила или мне из дому принести?

— А вы булочки сегодня не пекли? — с надеждой спросил Гусаров.

— Нет, уж простите, мы ведь на прогулку собирались.

— Жалко. Люблю я ваши булочки с сосисками.

— А вот я вам сейчас бутербродиков наделаю, — встрепенулась Ангелина Михайловна. — Моих фирменных, малюсеньких таких, с анчоусами, помидорками и сыром. Сначала разогрею вам второе, потом чай с бутербродиками.

— Да ну, Ангелина Михайловна, не надо, вы лучше дальше рассказывайте, мне же интересно, как там события развивались. А уж вы такая замечательная рассказчица — даже прерываться не хочется. Ну что, нашел он своего брата, этот Якуб или как там его?

Ангелина Михайловна проявила педагогическую строгость и, прежде чем продолжить рассказ, все-таки заставила Льва Сергеевича съесть запеченную на гриле курицу с чесноком и картофельное пюре, а потом поставила перед ним большую плоскую тарелку с крохотными аппетитно пахнущими тарталетками, начиненными анчоусами, помидорами и острым сыром.

— А это вам за послушание и терпение. — Она торжественно поставила на стол две бутылки пива, принесенные из дома.

Это пиво Виля купил накануне как раз для того, чтобы угостить соседа. Лев Сергеевич пришел в неописуемый восторг и стал поглощать тарталетки, запивая их пивом, а Ангелина Михайловна продолжала пересказывать спектакль.

— И что, все, что ли? — совсем по-детски разочарованно спросил он, когда соседка завершила рассказ словами: «Свет постепенно гаснет... Конец». — И вот так все и кончилось?

— Вот так и кончилось, — с улыбкой подтвердила она.

— Ну, знаете... А я бы еще слушал и слушал, до того вы хорошо рассказываете. Я как будто в театре побывал и своими глазами спектакль увидел. С вами, Ангелина Михайловна, никакого телевизора не надо, вот так сидел бы и слушал целыми днями... Вы просто волшебница! А расскажите еще что-нибудь, вы же, наверное, много спектаклей видели.

До возвращения мужа и Людмилы Леонидовны Ангелина Михайловна успела пересказать в красках еще одну пьесу, уже из недавно виденного, и снова вызвала восторг и восхищение Льва Сергеевича. Людмила Леонидовна привела внука, которому предстояло провести время с бабушкой и дедушкой до самого вечера, и супруги Сорокины распрощались с соседями.

— Ну, как у тебя, Виля? — спросила Ангелина Михайловна, как только они оказались у себя в квартире. — Удалось что-нибудь?

Тот удрученно покачал головой:

— Ничего. Да и о чем особенно поговоришь, когда ребенок рядом? Он же все время внимания требует, теребит, вопросы задает, тянет куда-то, то ему львов покажи, то мороженое купи, то писать, то пить... В общем, сама понимаешь. А у тебя что новенького?

— А у меня есть кое-что, — радостно сообщила она. — Конечно, ничего конкретного пока, но зато я, кажется, нащупала, в каком направлении надо двигаться. Льву очень понравилось, как я пересказываю спектакли, он готов был меня слушать до завтрашнего утра. Надо повспоминать, какие мы с тобой постановки видели, и подобрать что-нибудь подходящее по тематике, чтобы раскрутить его на нужный нам разговор. Тебе что-нибудь приходит на ум, Виленька?

Он пожал плечами:

— Да нет, так сразу, навскидку, я и не припомню.

— Ну, ты подумай, я тоже подумаю, потом обсудим. Я уверена, мы сможем вытащить из него информацию таким способом.

Через некоторое время Ангелина Михайловна окончательно успокоилась. Вилен ничего не говорил о Людмиле, не восхищался ею, не рассказывал о том, что она сказала, да как посмотрела, да что сделала. Видно, ничем таким особенным соседка его не впечатлила. Ну и слава богу.

* * *

Максим тяжело перевернулся с боку на бок, стянув с Жанны одеяло, и молодая женщина с досадой поморщилась и открыла глаза. Ладно, хватит спать, надо встать и сделать что-нибудь полезное. Она терпеть не могла пустое времяпрепровождение, к которому относила и пребывание в постели, если это не был ночной сон. К ночному сну Жанна относилась трепетно, старалась спать не меньше восьми часов, из которых хотя бы час должен приходиться на время до полуночи, чтобы утром не только хорошо выглядеть, но и хорошо соображать. Больше ни для чего, по ее мнению, постель не годилась, а если нужно было включать в дневное расписание секс, то она предпочитала заниматься им где угодно и как угодно — на полу, в кухне, в ванной, в машине или в служебном кабинете, но только чтобы потом не спать. Она была ориентирована исключительно на работу и карьеру, секс же рассматривала только как средство достижения каких-либо целей. Любви в ее жизни места не было.

Однако Максим Крамарев предпочитает постель, и с этим приходится считаться, правда, ровно до тех пор, пока Жанна является его менеджером по пиару. Закончится избирательная кампания Крамарева — закончится и эта нудная и скучная постель с ним.

Жанна тихонько оделась и прошла на кухню, сварила себе крепкого кофе, положила три ложки сахару, налила в чашку сливок и включила компьютер. Каждую свободную минуту она привыкла использовать для дела.

Через полчаса появился Максим, всклокоченный, глаза еще затуманены сном.

— Свари мне кофе, — не то попросил, не то потребовал он.

Жанна послушно поднялась и взялась за кофемолку. Сегодня выходной, она надеялась провести этот день совсем по-другому, но внезапно нарисовался Крамарев, заявил, что очень соскучился и немедленно приедет, и действительно приехал, и действительно соскучился, потому что набросился на свою любовницу прямо с порога, они даже поговорить ни о чем не успели.

— Какие новости? — спросила она, подавая Максиму кофе. — Есть какие-нибудь сдвиги?

— Да какие там новости! — сердито откликнулся он. — Ты же видела предвыборную программу этой сволочи! Да он просто спекулирует чувствами людей, призывая к усилению ответственности за преступления против детства. Конечно, народ за ним потянется. Он не имеет морального права строить на этом свою агитацию, и я это всем докажу!

— Когда? — резко спросила она. — Ты уже давно грозишься «доказать», а где результат? Чем мы будем доказывать? У меня готова программа контрударов, только ее до сих пор нечем наполнить, кроме твоих общих рассуждений.

Максим поднял на нее удивленные глаза.

— Жанна, дорогая, но ты же все знаешь! Я тебе все рассказал.

— Этого мало. Мне нужны доказательства. И они нужны не только мне, без доказательств все твои слова — это только слова, пустое сотрясание воздуха. Они никого и ни в чем не убедят. Максим, нужно форсировать события, нужно двигаться вперед.

Она старалась говорить мягко и тепло, не давая раздражению вырваться наружу. Ну сколько можно гоняться за мифическими компрматериалами, вместо того чтобы пересмотреть собственную предвыборную программу и найти в ней места, которые можно усилить или переориентировать на насущные нужды населения! Максим необыкновенно упрям и негибок, он убедил себя в том, что идет правильным путем, и никаких попыток переубедить себя он не потерпит, уж в этом-то Жанна убедилась за те два года, что работает в его предвыборном штабе. Ее задача на текущий момент — оказывать моральную поддержку и быть доброй и понимающей. Ох, как же ей это надоело! Но деваться некуда, взялась за работу — надо довести ее до конца. Желательно победного.

— Что я могу двигать вперед? — зло заговорил Крамарев, залпом допивая кофе и отодвигая от себя чашку. — Пока ничего не понятно, пока неясно, когда будет результат и будет ли он вообще. Я трачу столько сил, столько времени и денег, а итог нулевой. И я ни на что не могу повлиять.

— Может быть, тебе имеет смысл отказаться от своей затеи? — негромко спросила она. — Если она не дает результата, может быть, разумнее направить силы и деньги в другое русло?

— Нет! — Он стукнул кулаком по столу. — Нет, нет и нет! Я не отступлюсь. Я начал это дело — я доведу его до завершения, и тогда этой сволочи мало не покажется. Просто я порой впадаю в такое отчаяние... И только ты меня спасаешь, радость моя, только ты можешь меня утешить. Какое счастье, что ты у меня есть, моя верная девочка, моя страховочная веревочка, — заговорил Максим ласково, протягивая к ней руку.

Жанна обняла его, прижала голову Максима к своей груди.

— Не отчаивайся, — сказала она, — не опускай руки. У тебя все получится, я уверена, сразу ничего не получается, надо уметь ждать, ждать и терпеть. А главное — надо верить в свою правоту. Ты ведь веришь в то, что ты — более достойный кандидат?

Тот молча кивнул — ткнулся лбом в ее грудь, будто пытаясь зарыться поглубже.

— Значит, у тебя все получится. И результат, которого ты так ждешь, будет. И выборы ты выиграешь. И место председателя комитета получишь. Все будет, как ты хочешь. Только ты должен не падать духом и оставаться бойцом, что бы ни случилось.

Она утешала его, едва сдерживаясь, чтобы не заорать на Максима. И чего такие хлюпики тянутся в большую политику? Думает, если он сумел заработать много денег, то и во власти будет чувствовать себя хорошо. Ну чего он раскисает? Выбрал дорогу — так иди по ней только вперед, ни на кого и ни на что не оглядывайся, по головам иди, по трупам и, уж конечно, не впадай в панику, если что-то не получается.

Жанна с усилием взяла себя в руки. В конце концов, пиар-менеджмент — это ее работа, и если для выполнения этой работы, для того, чтобы подопечный ее слушался, надо быть его любовницей, опорой и поддержкой — значит, она ею будет. Работу надо сделать хорошо, потому что успех в работе, то есть приведение кандидата к победе на выборах, — это плюс в послужном списке, а чем больше у нее наберется таких плюсов, тем успешнее карьера и тем выше гонорары.

* * *

— Ты прости, что выдернул тебя в выходной, — виновато произнес Борис Кротов, входя в квартиру, в которой обычно проходили его встречи с Ханом.

Алекперов беззаботно улыбнулся и махнул рукой.

— Ничего, так даже лучше, не нужно лишний раз светить контакт. И вообще, у оперов выходных не бывает, сам знаешь. Так что у тебя стряслось?

Вместо ответа Борис протянул ему два конверта с письмами.

Полковник милиции Ханлар Алекперов завербовал Бориса Кротова пять лет назад, то есть спустя примерно год с того момента, как художник начал общаться с представителями криминального и околокриминального мира. В ту пору Хан служил в подразделении по борьбе с организованной преступностью, потом службу упразднили, создали на ее основе управление по противодействию экстремизму, но это направление Хану не было интересно, и он продолжил нести службу в структурах уголовного розыска. Контакты с Кротовым продолжались, Борис был вхож в дома тех, кто так или иначе интересовал Хана, много чего видел, много чего слышал, а кроме того, обладал недюжинным нюхом, чутьем на людей и давал им интересные и очень полезные Хану характеристики. Их отношения не была похожи на отношения оперативника и источника информации, завербованного на компрматериалах, они были скорее дружескими или, во всяком случае, приятельскими: Кротов сотрудничал с Ханом не за страх и не из корысти, а просто потому, что ненавидел преступность во всех ее проявлениях. И у него были для этого веские причины. Пьяный ублюдок много лет назад лишил его матери.

Хан внимательно изучил оба письма, прочел их, кажется, раз по десять, потом поднял на Бориса глаза.

— Ты ведь там был? Мать зарезали при тебе?

— Ну да. Я же тебе рассказывал.

— Да, я помню. Кто еще был в квартире в этот момент?

— Только дядя Валера, мамин любовник, который ее и убил. Ну и я. Больше никого.

— Соседи? Еще какие-нибудь собутыльники?

— Да нет же, Хан, никого больше не было.

— Ну что ж, матери твоей в живых нет, стало быть, о том, как все произошло, знаете только вы двое — ты и дядя Валера. Кстати, не помнишь, как его фамилия?

— Не помню, но знаю, — улыбнулся Борис. — Стеценко. В шесть лет я, конечно, этого знать не мог, но у меня сохранилась копия приговора, там есть фамилия.

— Ты сам себе писем не писал, — продолжал рассуждать Хан, — значит, остается только этот Стеценко. Валерий Стеценко, — повторил он задумчиво. — Ну что ж, надо попробовать с ним разобраться. Ты с ним не виделся после того, как он освободился?

— Нет.

— И по телефону не разговаривал? Он не пытался тебя разыскать, встретиться с тобой?

— Нет, ничего такого не было.

— Ладно, я его найду и выясню, зачем он тебе шлет любовные послания.

— Значит, ты уверен, что автор писем — дядя Валера?

Хан развел руками:

— Ну а кто еще-то? Больше ведь никто не знает, как там и что было. Он, совершенно очевидно, считает, что ты по малолетству ничего не понял или не запомнил, вот и хочет срубить деньжат. Если он знает, чем ты занимаешься и сколько зарабатываешь, то рассчитывает на кругленькую сумму.

— Но о деньгах в письмах речи нет, — возразил Борис. — Они вообще какие-то тупые, бессмысленные. Ну, допустим, я действительно чего-то не помню или не знаю, допустим, я заинтересовался, и что дальше делать? В этих письмах нет ни предложений, ни указаний, ни упоминаний о сумме, которую я должен заплатить за сведения. Нет, Хан, тут какая-то другая фишка.

— Да нет никакой другой фишки! — рассмеялся Алекперов. — Он просто тебя готовит.

— Готовит? — не понял Борис.

— Конечно! Он ждет, когда ты закипишь и готов будешь выложить большие деньги за то, чтобы узнать. Ведь после первого письма твоей первой реакцией было ответить: «Нет, мне неинтересно», правда?

— Правда, — согласился Кротов.

— Вот видишь, ты в тот момент и трех копеек не заплатил бы за эту информацию. А теперь, после второго письма, ты уже засомневался, даже ко мне пришел. Ты колеблешься, ты уже не уверен, что знаешь правду и больше добавить к ней нечего. Он просто ждет, когда ты перестанешь сомневаться и дозреешь до крупной суммы.

Они еще посидели, выпили чаю, поболтали о всякой всячине, Борис рассказал подробности о своем очередном заказчике, криминальном авторитете по имени Артур, и его молоденькой любовнице, Хан принял информацию к сведению: в его хозяйстве все пригодится, если не сейчас — то потом.

* * *

Валентина Евтеева всегда любила ходить пешком и теперь, живя в Подмосковье у Нины Сергеевны, с удовольствием подолгу гуляла, благо было где. Она то шла вдоль дороги, пересекала трассу и бродила по коттеджному поселку, где в одном из домов работала ее хозяйка, то углублялась в густые заросли и с наслаждением вдыхала запахи смешанного леса и оживающей после зимней спячки листвы.

В тот день она гуляла в лесу по ту сторону шоссе, где были дорогие коттеджи. Мужчину в сопровождении двух идущих чуть поодаль охранников она заметила не сразу, потому что была, по обыкновению, погружена в собственные размышления и ничего вокруг себя не видела.

— Здравствуйте, — приветливо поздоровался незнакомец, и только тут Валентина обратила на него внимание.

Высок, строен, красив просто невероятно, с овальным смуглым лицом, не кавказского типа, а скорее семитского. Интересно, из какого он дома? Из того, трехэтажного с башенками? Или из роскошного белокаменного, похожего на дворец? «Наверное, миллионер какой-нибудь», — мелькнуло у нее в голове.

— Добрый день, — вежливо ответила она.

— Давно гуляете? — поинтересовался мужчина.

Валентина добросовестно, как прилежная ученица на уроке, взглянула на часы:

— Час сорок минут. А что?

— Устали?

— Да нет, я привыкла много ходить. Почему вы спросили?

— Здесь неподалеку есть прелестное местечко для отдыха, знаете?

— Нет, — удивилась она. — Что, кафе какое-нибудь? Здесь, в лесу?

— Да что вы, — обаятельно улыбнулся незнакомец, — какое кафе! Там лежит упавший ствол, на нем очень удобно сидеть, я всегда там отдыхаю, если устаю во время прогулки. Пойдемте, я вам покажу, будете знать.

Он всегда там отдыхает! Означает ли это, что он постоянно гуляет здесь? Странно, Валентина приходит в эту часть леса уже в третий раз, но его почему-то не встречала. Или он гуляет в другое время? Или в другие дни?

Они вместе дошли до толстого и действительно очень удобного ствола и сели рядышком. Охранники топтались метрах в десяти от них. Через несколько минут Валентина с удивлением обнаружила, что непринужденно болтает с незнакомцем, который назвался Славомиром Ильичом и рассказал, что он — ученый-химик, работает над революционной технологией в фармацевтике, вся экспериментальная часть уже сделана, осталось только выписать теорию, чем он сейчас и занимается. Его разработка уже заранее куплена крупным фармакологическим концерном. При этих словах Валентина вздрогнула: Елена ведь, кажется, говорила, что работает в фармакологическом концерне, во главе которого стоит как раз хозяин дома, где работает Нина Сергеевна. Как же его фамилия? Елена ведь называла ее, и Нина Сергеевна тоже говорила... А, вспомнила: Крамарев.

— Вы имеете в виду концерн Крамарева? — неуверенно спросила она.

— Именно, именно, — обрадованно закивал Славомир Ильич. — А вы что, знакомы с Максимом Витальевичем?

— Нет, но я снимаю комнату в доме у женщины, которая работает у Крамарева садовником, — объяснила Валентина.

— Так вы живете у нашей Нины Сергеевны! — Славомир Ильич почему-то еще больше обрадовался. — Получается, мы с вами заочно знакомы, Нина Сергеевна говорила, что у нее новая постоялица. Значит, вот вы какая!

Валентина смутилась, сама не зная почему.

— А вы живете у Крамарева?

— Временно. Максим Витальевич хочет, чтобы финальная часть работы, самая ответственная, проходила под его контролем и под усиленной охраной, дабы никто не смог украсть или перекупить новую технологию. Видите, каких мордоворотов ко мне приставили, — добавил он, понизив голос до заговорщического шепота. — Они ходят за мной по пятам, чтобы никто подозрительный не мог ко мне подойти с нескромным предложением и посулить за мою разработку еще больше денег. Если бы вы знали, Валечка, как мне скучно так жить! Конечно, я много работаю, но ведь и кроме работы должны быть какие-то радости, а мне во время прогулок даже поговорить не с кем. Хорошо, что я вас встретил. Вы ведь не москвичка, как я понял?

— Нет, я из...

Она хотела уже сказать, что приехала из Южноморска, но отчего-то вдруг застеснялась собственной провинциальности и соврала:

— ...из Петербурга.

Попасться на лжи она в тот момент не боялась, в Питере она бывала много раз и город знала хорошо.

— В отпуске? В командировке?

Валентина собралась было рассказать свою историю, но прикусила язык. Зачем этому красивому ученому ее горестная история? Он занимается научной работой и в перерывах ходит гулять, так пусть видит в ней, в Валентине Евтеевой, родственную душу.

— В творческом отпуске, хотя это можно считать и творческой командировкой, — ответила она с улыбкой. — Заканчиваю писать кандидатскую, уехала от всех подальше, чтобы в тишине и покое закончить работу. Думаю, вы меня понимаете.

— О да, — рассмеялся Славомир Ильич. — Я вас понимаю, как никто другой. И каких наук вы планируете стать кандидатом? Искусствоведение? Филология? Или что-нибудь в этом роде?

— Технические науки. Физика низких температур. Холодильные установки и все такое.

— Солидно, — покачал головой Славомир Ильич. — Значит, будем мы с вами трудиться в поте лица, а в перерывах вместе коротать время на прогулках, договорились?

Он так и сказал: мы с вами. Мы с вами будем трудиться. Мы с вами будем коротать время на прогулках. У Валентины даже дыхание перехватило от нахлынувшего восторга: неужели этот красавец ученый обратил на нее внимание и заинтересовался ею не только как красивой особью женского пола, но и как собеседником, как личностью? И снова она не думала о том, что попадет в неловкую ситуацию: кандидатская диссертация давно была успешно защищена, и все тонкости прохождения работы соискателя были Валентине превосходно известны. Все-таки она правильно сделала, что солгала и не стала рассказывать Славомиру Ильичу свою истинную историю.

Они сидели и болтали, но Валентина все время была настороже, чтобы ненароком не обмолвиться о том, что она решила скрыть. И от этой напряженности и настороженности мысли ее, как назло, все время сворачивали на то дело, ради которого она приехала сюда. Она машинально поддерживала разговор, а сама вспоминала ту сотрудницу, которую Стасов отрядил заниматься ее делом, Анастасию Павловну Каменскую, которая сперва Валентине страшно не понравилась. И вопросы, которые она задавала, ей тоже не понравились, особенно про брата

Евгения, размер наследства и папиных друзей. И сухость Каменской, ее деловитость и неулыбчивость тоже не понравились Валентине. То ли дело руководитель агентства Владислав Николаевич! Вежливый, обходительный, и улыбался так открыто. И вообще, разве детективом может быть женщина, да еще такая старая? Детектив — это мужчина от тридцати до сорока, плечистый, накачанный, с хорошей реакцией и с морем обаяния, иначе как же он сможет втираться в доверие и добывать нужные сведения?

Из агентства в тот день Валентина вернулась разочарованная и расстроенная и вечером поделилась своими сомнениями с Ниной Сергеевной, подробно описала встречу с Каменской и пожаловалась на Стасова, который сначала кивал и обещал, что все будет в лучшем виде, а потом поручил Валентинин заказ какой-то грубой старухе.

— Так уж и старухе? — усомнилась Нина Сергеевна. — Сколько ей лет?

— Ну, она прилично старше меня, лет, наверное, сорок восемь, а может, и все пятьдесят.

— Это она сама тебе сказала?

После нескольких первых дней знакомства Валентина сама попросила, чтобы Нина Сергеевна обращалась к ней на «ты».

— Конечно, нет. Но я же вижу, какие у нее морщины вокруг глаз. И седины полголовы. Стрижка у нее хорошая, а волосы покрасить, чтобы убрать седину, она не додумалась. Она натуральная блондинка, платиновая, так что седина практически не видна, но я-то заметила.

— Седина, Валечка, — это не показатель, многие женщины начинают седеть еще до тридцати.

— Хорошо, а морщины? Это объективно.

— Ну ладно, пусть даже ей пятьдесят. Хотя я что-то сомневаюсь...

— Да какие же могут быть сомнения! — возмутилась Валентина. — Эта Каменская сама сказала, что двадцать семь лет проработала в органах, из них двадцать пять — в уголовном розыске. Не может же ей при таком стаже быть сорок лет, правда? Нет, меньше пятидесяти никак не получается.

— Ишь ты! Целых двадцать пять лет в уголовном розыске? Это тебе, Валечка, не кот начхал. Это знаешь какой опыт? Ты еще скажи спасибо своему Стасову, что он тебе такого сотрудника выделил, а не пацана какого-нибудь только-только с институтской скамьи, который и преступника-то живого в глаза не видал.

Нет, ты не права, деточка, Стасов сделал правильный выбор. И вообще, с каких это пор пятидесятилетние женщины стали считаться старухами? Тут ты дважды не права, даже трижды. Пятьдесят лет — это отличный возраст. Сил еще много, опыта уже много. Если кто и разберется с твоим делом, то только такая, как эта Каменская. Ты говоришь, у нее стрижка хорошая?

— Очень.

— Тем более. Это значит, что она следит за собой.

— И что?

— А то, — с улыбкой пояснила Нина Сергеевна, — что у нее не пропал интерес к жизни и много энергии, чтобы по этой жизни двигаться. Ах, деточка, какая ты все-таки еще молоденькая! Ты небось думаешь, что все самое главное в твоей жизни уже позади, потому что тебе тридцать пять, а я тебе скажу, что ты еще дитя несмышленое. Вот запомни: когда тебе тридцать пять, то все самое главное еще впереди, причем далеко впереди. Вот после пятидесяти как раз все только и начнется. Чем еще тебя не устроила Каменская, кроме того, что она, как ты считаешь, старая? Строгая? Сухая? Улыбается мало?

— Она относится к моему делу предвзято, — обиженно проговорила Валентина. — Она вообще не собирается искать случайного преступника, она считает, что папу убить мог кто-то из его близких вплоть до моего брата или папиных друзей. Вы представляете? Если она будет искать в этом направлении, то вообще никогда преступника не найдет, я только зря деньги потрачу.

Нина Сергеевна вздохнула, достала чашку с орхидеями, насыпала в нее растворимого кофе и налила кипятку.

— Нина Сергеевна! — воскликнула Валентина. — Вам же нельзя! Вы же только утром...

— Введешь ты меня в грех, Валечка, своими рассуждениями. Тебя послушать — так не только кофе, водку впору пить. Придется нарушить.

Она сделала большой глоток и зажмурилась от наслаждения.

— Ох, до чего ж я кофе люблю! Целыми днями пила бы.

— Что ж вы растворимый-то пьете? Если уж так любите, так варите настоящий, из зерен, — сказала Валентина, которая мучилась над этим вопросом с самого первого дня, но как-то стеснялась его озвучить.

— Что ты, деточка! — рассмеялась Нина Сергеевна. — Настоящий намного вкуснее. Если я буду его варить, то вообще остановиться не смогу, так и буду пить по десять чашек в день. А с растворимым мне все-таки удается удержаться на двух. Так вернемся к твоей Каменской. Почему тебе не нравится, что она спрашивала о брате и друзьях твоего отца?

— Потому что я их знаю, они не могли... Они все честные и порядочные люди. А она...

— А она их не знает, — подхватила Нина Сергеевна. — Она их в глаза не видела. И вполне естественно, что она включила их в круг подозреваемых.

— Но я ведь сказала ей, что они хорошие, порядочные! Почему она мне не поверила?

— А почему она должна тебе верить? — невозмутимо отозвалась Нина Сергеевна. — Кто ты такая для нее, чтобы она верила каждому твоему слову?

— Я — заказчик, — заявила Валентина, не очень, правда, уверенно.

Логика Нины Сергеевны вдруг стала ей понятна, и Валентине сделалось неловко. Какая же она дура! А Нина Сергеевна права. И Каменская, выходит, тоже права.

— Ты — никто. Ты пришла с улицы, она тебя видит впервые в жизни. Почему она должна полагаться на твое знание людей? У тебя что, диплом профессионального человековеда? Ты гениально разбираешься в людях и видишь их насквозь? Думаю, нет. И даже если бы это было так, Каменская этого знать не может. Пойми, Валечка, она не предвзята, она просто очень профессиональна и объективна, она не идет на поводу ни у кого, она не увлекается ни одной из версий, пока у нее нет достаточно информации. Она очень независима и самостоятельна, и эту особенность ее мышления ты должна была бы оценить. А ты не оценила.

Одним словом, Нине Сергеевне удалось прочистить Валентине мозги и поставить их на место, и уже через час Валентина Евтеева изменила мнение о Каменской. Теперь Анастасия Павловна нравилась ей своей основательностью, серьезностью и вдумчивостью, и Валентина вполне искренне считала, что ее дело в надежных руках. Ей даже стало немного совестно за то, что она поначалу отнеслась к Каменской так негативно, и уж совсем стыдно Валентине было за то, что она при Нине Сергеевне назвала пятидесятилетнюю женщину старухой. Самой-то Нине Сергеевне еще больше...

На все эти воспоминания она и отвлекалась, болтая с новым знакомым и обсуждая эклектичность застройки коттеджного поселка, в котором он жил. Разговор шел об архитектуре, и Валентина, в этой материи почти совсем не разбиравшаяся, в основном молчала, поражаясь тому, как много знает Славомир Ильич и как тонко чувствует. Время пролетело незаметно, и Славомир Ильич засобирался домой.

— Работа стоит, — с ласковой улыбкой глядя на Валентину, пояснил он. — Надо возвращаться. Надеюсь, мы с вами еще встретимся.

— И я тоже надеюсь, — искренне ответила Валентина.

Они не условились ни о месте, ни о времени следующей встречи, но Валентине это показалось совершенно естественным: ученый, человек занятой, творческий, он никогда не знает, как сложится работа и когда у него будет время и настроение сделать перерыв. Все равно они обязательно встретятся, ведь разминуться им негде, да и место с поваленным стволом она теперь знает. Нет, какая же она все-таки дура, считая Каменскую старухой! Ведь Славомир Ильич примерно такого же возраста, а разве повернется у нее язык назвать его стариком? Красивый, обаятельный, живой — да он многим молодым фору даст. Он ей очень понравился...

Вечером того же дня, встретив вернувшуюся с работы Нину Сергеевну, Валентина вдруг похолодела: Славомир сказал, что знает о новой жиличке садовницы, значит, Нина Сергеевна о ней рассказывала. Что она рассказала? Неужели правду? И как тогда будет выглядеть ложь Валентины о том, что она приехала из Санкт-Петербурга и дописывает диссертацию? Ой, как нехорошо вышло!

— Нина Сергеевна, — робко начала Валентина, едва дождавшись, пока ее хозяйка закончит ужинать, — вы в доме Крамарева про меня что-нибудь рассказывали?

Нина с удивлением вскинула на нее глаза и снова вернулась к мытью посуды.

— Только то, что ты живешь у меня. А в чем дело?

— Я имею в виду: вы говорили, откуда и зачем я приехала?

— Разумеется, нет. Это никому не интересно. Зачем грузить людей сведениями, которые им не нужны? Я не пойму, почему ты спрашиваешь.

Пришлось рассказать о знакомстве со Славомиром Ильичом и о своей спонтанной лжи. Нина Сергеевна закончила мыть посуду и сделала Валентине знак пройти вместе с ней на террасу. Они уселись в стоящие рядом кресла-качалки.

— Я не поклонница вранья, но должна признать, что ты поступила почти правильно. Насчет Питера ты зря сказала, в том, что ты приехала из Южноморска, нет ничего зазорного, а попасться можешь очень легко. Но теперь уж ничего не поделаешь, слово вылетело. А что касается причин твоего пребывания здесь, то ты инстинктивно сделала так, как лучше. В Москве, деточка, не любят людей с горестными проблемами. Когда у человека горе, никогда не знаешь, как с ним разговаривать, то ли расспрашивать о подробностях, то ли сочувствовать и утешать, то ли, наоборот, говорить на отвлеченные темы. И потом, когда у человека горе, полагается предложить помощь, а помогать в столице не любят, каждый сам барахтается и выбирается как может. Всегда лучше делать вид, что ты благополучна и успешна, и люди к тебе потянутся. Но вообще-то ты отчаянная, — добавила Нина Сергеевна с улыбкой. — И как ты не боишься запутаться в своей лжи?

— Насчет диссертации я не запутаюсь, я же ее и писала, и защищала, даже до старшего научного сотрудника доросла. А что касается Питера, то я там часто бывала, иногда подолгу, я город хорошо знаю.

— Все равно это опасно. Смотри, ты — физик, он — химик, отрасли родственные, он может много кого знать в питерских научных кругах, спросит — а тебе и ответить нечего.

— Ничего, как-нибудь... Вообще-то он про свою работу не говорит совсем, мы с ним больше об архитектуре разговаривали.

— Это понятно, — кивнула Нина Сергеевна, — у Славомира Ильича работа секретная, он даже живет не в доме с хозяевами, а отдельно, в домике для гостей, чтобы никто не мешал ему работать. И посторонних к нему не допускают. Приезжают иногда люди, Максим Витальевич ведет их прямо к Славомиру Ильичу, и в этих случаях даже горничной не доверяют подавать им чай и закуски. Катя сама приносит.

— Катя? Это кто? — спросила Валентина с интересом.

— Жена Максима Витальевича.

— А почему так? Почему горничной нельзя подавать? — не понимала Валентина.

— Потому что, деточка, горничные и прочая домашняя обслуга имеют обыкновение быть страшно любопытными. Стоят под дверью и подслушивают, глазами так и шныряют, ищут, где бы чего подсмотреть.

Это для Валентины было новостью. Неужели весь домашний персонал поголовно такой? У себя в Южноморске она сталкивалась иногда с семьями, у которых были домработницы, повара и горничные, даже у брата Евгения была помощница по хозяйству, но она никогда не слышала ни от кого жалоб на излишнее любопытство тех, кто работает в доме.

— Да нет, конечно, — рассмеялась Нина Сергеевна, — они не все такие, но всегда надо иметь в виду, что это может быть. И когда речь идет о промышленных секретах, то лучше перестраховаться. Ты даже не представляешь, какие финансовые потери может понести Максим Витальевич, если разработку уведут прямо из-под носа. А что, Славомир тебе понравился?

— Очень, — призналась Валентина. — Я таких красивых мужчин никогда в жизни не встречала, даже не думала, что такие бывают. И он очень обаятельный, ироничный такой, у него хорошее чувство юмора.

— Да, Славомир Ильич женщинам нравится, — усмехнулась Нина Сергеевна. — Между прочим, у него не то роман, не то флирт с нашей Олей, учительницей дочки Крамарева.

— Учительницей? И чему она учит?

— Преподает арабский язык.

Валентина вмиг погрустнела. Да, с учительницей арабского языка ей не тягаться. Кто она такая? Всего лишь старший научный сотрудник, кандидат технических наук, а для ее нового знакомого — так и не кандидат вовсе, а пока еще только соискатель ученой степени. Он сам технарь, доктор наук, и для него Валентина не представляет никакого интереса. То ли дело арабский язык! Эта Ольга, наверное, много знает, много ездила по миру, много видела, конечно, Славомиру с ней куда интереснее, чем с такой обыкновенной Валентиной.

И почему у нее так нелепо складывается личная жизнь? Наверное, мама была права, она, Валентина, ничего интересного собой не представляет, нет в ней той изюминки, которая привлекала бы умных красивых мужчин. Ее первая большая любовь — юноша из другой школы, с которым она познакомилась на одной из олимпиад, талантливый физик, который после окончания школы поехал поступать в Краснодар, в Кубанский государственный технологический университет. Валя отправилась следом за ним получать специальность «Холодильная, криогенная техника и кондиционирование», хотя никакого предпочтения в плане выбора профессии у нее тогда не было, просто она была влюблена сильно и глубоко и хотела быть рядом с объектом своей любви, видеть его каждый день, разговаривать с ним. Дышать с ним одним воздухом. Вступительные экзамены Валя сдала успешно, поскольку была способной девочкой, и даже учебу одолела, так как была усидчивой. Роман закончился, когда она была на третьем курсе: ее возлюбленный женился, а Валю бросил, но она дотянула учебу до конца, потому что не привыкла бросать дело на полпути. Да и втянулась как-то — физика низких температур стала ей неожиданно интересной.

После института Валентина вернулась в Южноморск и стала работать в НИИ холодильных установок. Через два года сдавала экзамены в аспирантуру и обратила на себя внимание директора, который спустя очень короткое время стал ее любовником. Этот второй роман длился много лет, директор института был женат и ничего Валентине не обещал. Сколько времени еще это продолжалось бы, неизвестно, наверное, долго, директор к ней привык, она была красивой, неглупой и очень удобной: всегда под боком и ничего не требует. Но тут окончательно слег отец, и Валентина уже не могла после работы задерживаться или под предлогом срочного задания приходить в институт в выходные дни, ей нужно было отпускать сиделку и самой быть дома, рядом с Дмитрием Васильевичем. Директор отнесся с пониманием к тому, что Валентина больше не может встречаться с ним по вечерам на своей квартире — она переехала к отцу, а других мест для встреч у них не было. Оставался его служебный директорский кабинет, но в рабочее время пользоваться им было опасно, а в нерабочее время Валя уже не могла. Как-то так все и закончилось.

Валентина даже сама не замечала, как тянулась к мужчинам заметным и ярким, сначала к талантливому физику, которому все прочили блестящее будущее, потом к директору, доктору наук, ученому с именем и ее научному руководителю. Если бы ее спросили, она бы искренне ответила, что любила их. Наверное, так оно и было. Но беда в том, что никого другого она любить и не смогла бы, потому что стремилась сиять отраженным светом, уверенная, что только так она что-то собой представляет. Ей было комфортно только рядом с тем, кто заметен и ярок, это словно повышало ее самооценку. Ей нужно прилепиться к кому-нибудь сильному и быть рядом, только тогда она сможет быть счастлива.

А ее новый знакомый Славомир Ильич — несомненно, яркая личность, ученый, занимающийся секретными разработками. И такой образованный, так много знает...

Глава 6

Аэропорт города Южноморска оказался просторным и современным, явно недавно построенным. Настя и Чистяков вышли в зал прилета и осмотрелись.

— Ну что, ищем такси? — спросил Алексей.

Настя углядела спрятавшийся за колонной вход в кафетерий.

— Леш, пойдем кофе выпьем, а? — жалобно попросила она. — Встали сегодня в такую рань, я до сих пор проснуться не могу, а в самолете кофе поганый, я его даже брать не стала.

Они вошли в кафетерий и устроились за одним из множества пустых столов сомнительной чистоты.

— Думаешь, здесь кофе лучше, чем в самолете? — Чистяков брезгливо провел пальцем по
поверхности стола.

— Будем надеяться, — вздохнула Настя. —
И пирожок какой-нибудь возьми или булочку,
а то ведь неизвестно, когда придется поесть.

Алексей пошел к стойке за кофе и булочками и, пока хрупкая девушка на вид лет восем-
надцати готовила заказ, вытащил из проволоч-
ного держателя журнал и сунул под мышку.

— Что ты стащил? — спросила Настя, когда
муж вернулся с подносом в руках.

— Справочник «Недвижимость Южноморска». И не стащил, а взял на законных основа-
ниях, они бесплатные.

— Зачем? — удивилась она.

— Там должно быть много цифр, а цифры — наша с тобой общая стихия. Тем более
будет возможность понять, каков на самом
деле здесь уровень цен и, соответственно, размер наследства твоей заказчицы. Те цифры, которые ты мне называла с ее слов, у меня, честно признаться, доверия не вызвали. Конечно,
здесь море, но все равно ведь не столица. Ну,
как тебе здешний напиток?

Настя сделала глоток кофе из белой с золотым ободком чашки и поморщилась.

— Гадость, конечно, но все равно лучше, чем ничего. А вот булочка вкусная, попробуй.

— Нет уж, — отказался Чистяков, — ешь сама, я потерплю до нормального общепита.

— Ага, — кивнула Настя, — если ты его здесь вообще найдешь, оптимист ты мой.

Пока она пила кофе и жевала сдобную булочку, он полистал журнал.

— Смотри-ка, — с удивлением протянул Алексей, — тут более пятисот объектов городской и загородной недвижимости. То есть люди строятся, покупают, вкладывают деньги, значит, здесь не упадок. Ну-ка посмотрим цены на жилье.

Он перевернул несколько страниц и углубился в изучение предложений о продаже квартир.

— Ни фига себе! — присвистнул он. — Глянь, Аська, квартира сто тридцать четыре квадрата, двести пятьдесят метров от моря, цена — двадцать восемь миллионов.

— Сколько?! — Настя чуть не поперхнулась.

— Двадцать восемь. Но это первичка, и даже якобы с евроремонтом. А что там у твоей заказчицы?

— «Трешка» в пяти минутах от моря.

— Так, смотрим вторичку... Вот, нашел: трехкомнатная квартира, восемьдесят метров, две минуты от моря, восемь с половиной «лимонов». Тоже не хило. А вот еще, семьдесят метров, вид на море, то есть до пляжа еще пилить и пилить, девять с половиной.

— Н-да, — задумчиво проговорила Настя, — Валентина Дмитриевна не сильно погрешила против истины. Цены здесь и в самом деле убойные.

В этом же справочнике обнаружилась довольно подробная карта Южноморска, и они с интересом принялись разглядывать ее. Даже на первый взгляд было видно, как складывалась судьба этого города. В одной части застройка была плотной, а улицы — кривыми, зато носящими названия почти сплошь по именам писателей — Горького, Чернышевского, Грибоедова, Твардовского, Чехова, Тургенева. В другой же части преобладали имена политических деятелей, таких, как Куйбышев, Свердлов, Киров. «Литературные» улицы располагались у моря, а «политические», начинаясь от берега, уходили вглубь, огибали «литературные» и заканчивались в предгорьях, там, где, судя по карте, располагались больницы и санатории. Между «литературной» и «политической» частью города находились аквапарк, океанариум и дельфинарий, а также две большие современные гостиницы, если верить карте, с собственными пляжами.

— А где наша гостиница? — поинтересовался Чистяков.

Настя полезла в сумку и извлекла бумажку с адресом. Нужная улица оказалась совсем рядом с набережной, в «литературной» части Южноморска, на улице Приморской, втиснувшейся между улицами Герцена и Короленко.

— Хоть здесь повезло, — удовлетворенно сказал Леша, — будем с тобой прогуливаться по набережной и чувствовать себя светскими львами.

— И львицами, — добавила Настя. — А вернее всего — драными кошками. Пошли искать машину.

Такси возле аэропорта не было, но зато было много частников, так что уже через три минуты они ехали по направлению к гостинице «Райский уголок», которой владел друг покойного доктора Евтеева Николай Степанович Бессонов. Из машины Настя позвонила ему, и, когда они подъехали к кованым высоким воротам, Николай Степанович уже ждал их. Был он худым, рослым, с очень коротко постриженными седыми волосами, крупным горбатым носом, густыми усами и веселыми глазами.

— Наконец-то! — шумно радовался он, ведя Настю и ее мужа к зданию гостиницы. — А то мне Валюшка позвонила еще когда, а вас все нет и нет. Я вам хороший номер приготовил, только я не думал, что вас будет двое, но это ничего, у меня свободные комнаты есть.

— Да нам не нужна вторая комната, — улыбнулась Настя, — мы женаты.

— Вот как? Это здорово, прямо как в кино: супруги — частные детективы.

Номер оказался на втором этаже, небольшой, но уютный и с просторной полукруглой лоджией, в которой стояли стол и два стула.

— Располагайтесь, мойтесь с дороги, а через полчаса я вас жду внизу возле бассейна, будем обедать.

— Обедать возле бассейна? — удивилась Настя.

— Ну да, а что? У нас свое кафе, есть столики в помещении, а есть возле бассейна, летом в жару кто захочет в четырех стенах сидеть? Так я вас жду.

Когда через сорок минут они спустились к бассейну, то сразу увидели накрытый стол под навесом. Бессонов стоял рядом и что-то говорил симпатичной женщине средних лет.

— Прошу, — он сделал рукой широкий жест, приглашая к столу. — Сначала холодные закуски, потом на выбор баранина или рыба.

— Баранина!

— Рыба!

Настя и Чистяков ответили одновременно, посмотрели друг на друга и расхохотались. Следом за ними рассмеялся и Николай Степанович. Погода стояла чудесная, теплая, солнечная, безветренная, закуска была изобильной и вкусной, вода в бассейне — сияюще-голубой, и Насте показалось на какой-то момент, что она и впрямь в раю. Однако она приехала сюда не наслаждаться жизнью, а работать. И нечего зря время терять.

— Николай Степанович, вы давно знали Евтеева? — начала она.

— Мы с Митькой были знакомы лет десять, нас познакомил мой старинный приятель Яшка Фридман. Они с Митей жили в одном доме и сошлись на почве любви к рыбалке, бывало, уезжали на три-пять дней, а то и на неделю куда-то на Дон, в район Ростова. Я-то к рыбалке равнодушен, никогда не увлекался, а вот Митя любил это занятие, искусный был рыбак и рыб любил, жалел их, ловил только удочкой или спиннингом с волосяной оснасткой, да еще покупал специальные крючки, без жала, чтобы рыбе было не больно и чтобы губу ей повредить минимально. Представляете, он даже рыболовный мат с собой возил, чтобы рыба не убилась, когда он ее вытащит! И рыбу всегда отпускал. Митька был не добытчик, а спортсмен, рыбу поймает, вытащит, взвесит, сделает фотографию и отпускает, вот как. У него мечта была — поймать трофейного сазана килограммов на пятнадцать.

— Неужели такие бывают? — ахнула Настя.

— А как же. Конечно, это большая редкость, но в дельте Дона, там, где он впадает в Азовское море, такие рыбы водятся. И Яшка Фридман такой же сумасшедший, на этом они друг друга и нашли. Это лет пятнадцать назад было, может, чуть больше, а потом Яшка нас познакомил, и у меня с Митькой сразу, как говорится, срослось, понравились мы друг другу, даже и не знаю почему. Вроде и профессии у нас разные, и рыбалкой я не интересуюсь, а вот срослось.

— Значит, вы знакомы всего десять лет, — уточнила Настя, — ваш друг Фридман — около пятнадцати, а ведь Дмитрий Васильевич жил в Южноморске с 1985 года. С кем же он общался, пока с вами не познакомился, не знаете?

— Ну, это вам нужно с нашей Галкой встретиться, она должна знать точно.

— Кто это — Галка?

Настя с трудом сдержала улыбку. Бессонову хорошо за шестьдесят, и говорит он о своих ровесниках, а они у него по-прежнему Митьки, Яшки, Галки. Словно этот седой и явно небедный человек так и остался подростком.

Та самая симпатичная женщина убрала грязные тарелки, поставила чистые и подала Чистякову тушеную баранину, а Насте и Николаю Степановичу — жаренную на гриле камбалу.

— Галка — это жена, вернее, теперь уже вдова хирурга, который работал у Мити в отделении, в больнице. Митя с ним очень дружил. Герка, — тут Николай Степанович заметил, как Настины губы дрогнули в полуулыбке, и поправился, словно мысли ее прочитал, — вернее, Герман Георгиевич Симонян, умер несколько лет назад. Митя с ним до самого конца был, они вместе с Галкой у его постели сидели до последнего вздоха. Галка и с Шурочкой дружила, тоже в последний путь ее проводила.

Так, теперь и Шурочка какая-то нарисовалась... Имена Фридманов и Симонянов Настя уже записала во время беседы с Валентиной, а вот про Шурочку она слышала впервые.

— Александра Андреевна, Митина жена, — объяснил Бессонов. — Она умерла лет пять назад. Да, правильно, сначала ушел Герка, а потом, года через два, Шурочка. И знаете, Митя очень тяжело это переживал, Гера и Шурочка были его самыми близкими людьми, и он их потерял одного за другим в такой короткий срок. Митя очень сдал тогда, — Николай Степанович горестно покачал головой. — После Геркиной смерти он еще как-то крепился, его Шурочка очень поддерживала, а уж когда и она ушла — тут Митя совсем засбоил, а потом и болезнь эта на него свалилась. Вы обязательно сходите к Галке, поговорите с ней, она вам наверняка подробнее расскажет про то время, когда мы с Митей еще не были знакомы.

— Обязательно, — кивнула Настя. — Не подскажете, как ее найти? Где она живет?

— Вот где живет, в точности не скажу, где-то на проспекте Ворошилова, я у них дома ни разу не был, а найти ее можно на набережной, она там торгует в палатке, продает ракушки и разные сувениры. Да вы легко найдете, от гостиницы направо до улицы Герцена, потом по Герцена до набережной, там повернете налево, сначала будет кафе «Фрегат», потом столовая «Волна», а сразу за ней Галкина палатка.

Настя примостила блокнот рядом с тарелкой и старательно все записала.

— А Фридмана как найти?

— Это проще простого, сейчас я ему позвоню.

Бессонов вытащил мобильный телефон и начал нажимать кнопки.

— Дома никто не подходит, — сообщил он, набирая еще один номер, — да это и понятно, выходной день, небось на дачу уехали или гуляют где-нибудь. Ты смотри, а мобильный вне зоны... Куда ж он подевался-то? Погодите, я сейчас его сыну позвоню, он должен точно знать.

Сын Фридмана сказал, что папа с мамой уехали на рыбалку дней на семь, а то и на десять, как ловля пойдет. Значит, придется ждать, пока он вернется. Настя расстроилась. Вот ведь чувствовала же она, что дурацкая это затея — ехать во время длинных праздников! Нет, Евтеева уперлась, а Стасов ей поддакивает.

— Кстати, Яшкин сын дружит с Женькой, Митиным старшим сыном, — сказал Бессонов. — У них общий бизнес или что-то в этом роде, одним словом, дела какие-то.

И эту информацию Настя тоже взяла на заметку, авось пригодится.

Со слов Бессонова, покойный доктор ничего не коллекционировал, про раритеты Николай Степанович тоже никогда не слыхал. Из имущества у Евтеева были квартира, дача, машина.

— Но дача у него хорошая, дорогая, у моря. Если бы в предгорьях, то была бы значительно дешевле, хотя и там цены на землю высокие, — говорил хозяин гостиницы. — В предгорьях воздух чище, суше, поэтому там все больницы и санатории построены, и те, кто в городе живет у моря, предпочитают иметь дачи поближе к горам.

— А Евтеев что же, не хотел чистым сухим воздухом дышать? — поинтересовался Чистяков.

— Да нет, ему тогда просто подвалило — давали участки, вернее, распределяли, как раз на побережье, простым смертным ничего, конечно, не досталось бы, но Митьке повезло, ему какой-то начальник из горкома партии подсобил. Участки все в основном были по шесть соток, и остался один — десять соток, если из него шесть выкраивать, то оставшиеся четыре уже совсем никуда не денешь, вот и отдали целиком. Кто ж мог знать, что советская власть кончится, землю можно будет продавать и покупать, и участок этот золотым окажется. Вы знаете, почём сейчас сотка на побережье?

— Валентина говорила, семьдесят тысяч долларов, но я не поверила, — призналась Настя.

— А зря. Именно столько и есть.

Врагов, по утверждению Николая Степановича, у Дмитрия Васильевича тоже не было.

— Но вообще-то характер у Митьки был тяжелый, с ним было трудно общаться, потому и друзей у него было мало, только Герка да мы с Яшкой, больше его никто вынести не мог. Вот Яшкина жена Райка, к примеру, сама заядлая рыбачка, так она Митьку любила, а моя так с его характером и не смирилась, никогда с нами не сидела и в гости к Евтеевым со мной не ходила. Ни Митьку не любила, ни Шурочку.

— Почему? — спросила Настя настороженно.

— Да ей казалось, что они не теплые, не душевные, все в работе, не посмеются лишний раз, анекдот не расскажут. Оба они были такие, знаете ли, «вещи в себе».

— Значит, доктора Евтеева не любили? — уточнил Алексей.

— Как вам сказать...— Бессонов помолчал, глядя в сторону, на голубую воду бассейна. — Его очень уважали и как врача, и как человека, но любить его действительно было трудно. Тяжелый он, мрачный, как будто все время не в настроении. К этому надо было привыкнуть, приспособиться. Вот мы с Яшкой и Райкой приспособились, а моя драгоценная — нет. Шурочка была резкой, суховатой, всегда правду-матку в глаза резала, кому ж это понравится. В ней не было женской хитрости, мягкости какой-то, хотя она была очень серьезная, порядочная, много работала, семью обихаживала. Шурочка правильная была.

Обед вместе с разговорами занял добрых два часа. Николай Степанович ушел заниматься своими делами, велев Насте и Леше немедленно обращаться с любыми вопросами и просьбами прямо к нему, его кабинет на первом этаже, и он всегда на месте.

Симпатичная женщина убрала со стола, Настя открыла блокнот и стала изучать составленный еще в Москве план первоочередных мероприятий. Беседа с Бессоновым состоялась. Беседу с Фридманами придется отложить на неопределенный срок. Галину Симонян они будут искать на набережной. Остался еще брат Валентины — Евгений Дмитриевич Евтеев. Настя набрала его номер и, к своему ужасу, выяснила, что Евгений в данный момент находится в Арабских Эмиратах на отдыхе и вернется только одиннадцатого мая. Не в силах справиться с накатившей злостью, она позвонила Валентине.

— Валентина Дмитриевна, вы знали, что ваш брат собирается в Эмираты на все праздники?

— Конечно, знала, — невозмутимо ответила она.

— Почему вы мне об этом не сказали?

— А зачем? Какое отношение это имеет к вашему расследованию?

Действительно, какое? Неужели эта курица настолько тупа, что не понимает очевидных вещей?

— Если бы вы мне об этом сказали заранее, я бы убедила вас не торопить меня с поездкой в Южноморск. Ведь сегодня только третье мая, а ваш брат вернется одиннадцатого. И все это время мне придется его здесь ждать, понимаете?

— Нет, я не понимаю, при чем тут мой брат и зачем он вам нужен. Если вы его в чем-то подозреваете, то, пожалуйста, ищите доказательства, он сам вам их наверняка не предоставит.

— Но он может знать каких-то друзей или знакомых вашего отца, и вообще он может знать что-то такое, чего не знаете вы! — с досадой проговорила Настя.

— Глупости! Я сама все знаю, я была рядом с папой последние два года, я своими глазами видела всех, кто приходил его навещать, и слышала все, о чем они говорили. Женя не может знать ничего такого, о чем не знаю я.

Самоуверенность заказчицы начала выводить Настю из себя, и она попрощалась, чтобы не успеть выплеснуть раздражение. Значит, придется сидеть тут и ждать Евтеева-младшего, не вести же с ним длинные разговоры по телефону, да и личное впечатление надо составить. И Фридманов надо ждать. Черт знает что! Правильно она сделала, что уговорила Чистякова ехать вместе, до тринадцатого мая им точно в Москву не вернуться.

Но раздражение все не утихало, и Настя позвонила Стасову.

— Я так и знала, что все разъедутся на праздники и мы с Лешкой здесь застрянем, — сердито сказала она. — Я же тебя предупреждала! Тебе придется платить мне командировочные за совершенно пустые дни.

— И чего? — с усмешкой отозвался Стасов. — Тебя это ломает?

— Представь себе! Я чувствую себя не в своей тарелке оттого, что приехала, а дело будет стоять. Я так не привыкла.

— А ты привыкай. Отдыхай, гуляй. Вода-то теплая?

— Шестнадцать градусов, — буркнула Настя. — Сам в такой купайся, если нравится. Я даже под угрозой расстрела в такую не войду.

— Значит, загорай, спи, в общем, не маленькая, найдешь чем заняться, у тебя, между прочим, муж под боком.

И Стасов захихикал в трубку.

— И если ты такая трепетная, веди учет пустых дней, я тебе за них командировочные не заплачу, будешь за свой счет отдыхать.

Как ни странно, но, услышав эти слова, Настя Каменская сразу повеселела. И успокоилась.

* * *

В первый же вечер Настя и Чистяков отправились гулять по набережной. Народу на набережной было немного, сезон только-только начался, хотя жаркая погода, как уверял Николай Степанович, стояла уже недели две. Море оказалось серым и недружелюбным, совсем не таким, каким Настя помнила его еще с тех давних времен, когда в последний раз проводила отпуск на юге. Неужели море за четверть века изменилось? Или она сама, Настя Каменская, стала другой? И еще одно поразило ее: у моря не было запаха, того самого, который она так хорошо помнила и который раньше чувствовался задолго до того, как оказываешься на пляже. Теперь же в воздухе витали душные и навязчивые запахи шашлыка, шаурмы и прочей снеди, доносящиеся из множества открытых ресторанчиков и кафе на набережной.

Настя шла и рассматривала пляж, тянущийся под парапетом. Крупная галька, никаких тентов и зонтов для отдыхающих, пластиковые шезлонги стоят под навесом, собранные в стопку, и рядом красуется от руки выполненная надпись: «1 час — 50 р., 2 часа — 60 р., 3 часа — 70 р., целый день — 100 р.» Даже душевых кабинок нет, чтобы смыть после купания морскую соль с кожи, только переодевалки, да и тех немного.

— Леш, как ты думаешь, почему пляж такой необорудованный? — спросила она.

— Хозяина нет, — пожал плечами Алексей, — никому ничего не надо.

— А почему не надо? — не отставала она.

— Да это же простая арифметика, Асенька, — засмеялся Чистяков. — Видишь, на пляже лежат отдыхающие?

— Вижу, — послушно кивнула Настя.

— И все как один, а их немало, на полотенцах или подстилках. Неудобно же, крупная галька, все бока, поди, болят, а они все равно шезлонги не берут. Почему?

— Наверное, для них это дорого. Экономят.

— Вот именно. А если оборудовать пляж, то ведь за оборудованием надо смотреть, я уж не говорю о том, что надо вложиться и закупить это оборудование и смонтировать. Следить, ремонтировать, охранять. То есть платить рабочей силе. Значит, что?

— Значит, надо делать пляж платным, чтобы не платить за все это из городского бюджета. И платить вдобавок зарплату кассирам и контролерам. То есть плата за пользование пляжем получится приличная.

— И кто будет пользоваться таким пляжем, если людям даже шезлонг за сто рублей дорого взять? Никто.

— Ты прав, — вздохнула Настя. — Впрочем, как всегда.

По обеим сторонам набережной сплошной чередой уместились во множестве магазинчики, палатки, рестораны и кафе, а также непонятные аттракционы с названием «Лопни шарик». Около каждого стоял зазывала и громко приглашал всех желающих «лопать шарики и выигрывать призы». Настя остановилась и с любопытством стала разглядывать аттракцион. Деревянная доска с двадцатью пятью крупными ячейками, в каждой ячейке лежит надутый воздушный шарик. Нужно бросать в шарики дротиком, похожим на дротик для дартса, чтобы шарик лопнул. За сто рублей хозяин аттракциона выдавал 6 дротиков, и если попасть и «лопнуть» 6 шариков, то получаешь большой приз, если 5 — средний, за 4 попадания полагается малый приз. Тут же на вертящейся стойке висели призы трех калибров — дурацкие мягкие игрушки, цена которым — полторы копейки в базарный день.

— Хочешь попробовать? — предложил Чистяков.

— Да ты что! — возмутилась Настя. — Я никогда в жизни не попаду.

— А я попробую, — решил он, доставая из кошелька сторублевую купюру.

— Леш, не надо, а?

Она попыталась оттащить его за руку, но тот стоял намертво и позиций сдавать не собирался.

— Почему? Я хочу попробовать.

— Но это пошло как-то... Леш, ну не надо.

— Ты что, стесняешься? — Алексей весело улыбнулся и легонько оттолкнул ее. — Тогда отойди, как будто ты не со мной.

— Я не стесняюсь, но...

Но было поздно, Чистяков уже протянул деньги девушке, которая тут же выдала ему шесть дротиков. Он начал бросать их в шарики и ни разу не промахнулся.

— Поздравляю, — радостно заверещала девушка, — вы выиграли большой приз.

Она сняла со стойки и протянула ему большую серо-белую плюшевую мышь, которую Алексей не знал куда девать. Девушка тут же стала предлагать ему сыграть на суперприз, то есть попасть восемь раз из восьми.

— А какой приз? — поинтересовался он.

Увидев огромного розового слона, еще более дурацкого, чем мышь, Алексей отказался продолжать эксперимент с собственной ловкостью и меткостью, а мышь тут же сунул какому-то малышу, идущему навстречу в сопровождении родителей. Малыш радостно схватил игрушку, а его родители удивленно и благодарно заулыбались.

— Трудно было попасть? — спросила Настя, подходя к мужу.

— Проще простого. Это притом что я сроду дротики ни во что не бросал.

— То есть получить приз, хотя бы малый, может практически любой? — уточнила она недоверчиво. — Тогда в чем фишка? На чем они зарабатывают?

— Давай считать, — с готовностью предложил Чистяков. — За участие берут сто рублей. Дротики покупают один раз — и все, они не амортизируются. Шарик стоит рублей пять, значит, за шесть лопнувших шариков кладем тридцатник. Игрушка стоит рублей десять-пятнадцать, вряд ли больше, а скорее всего, не стоит вообще ничего, это списанный брак или некондиция с фабрики. Итого, чистая прибыль с каждой полученной от игрока сотни — пятьдесят пять рублей, и то при условии максимального успеха и порчи шести шариков. Но ведь не всем так везет, некоторые протыкают меньше, то есть и приз дешевле, и шарики целы.

Настя покачала головой.

— Ловко. Что-то вроде беспроигрышной лотереи.

Она обратила внимание, что гуляющие по набережной люди одеты просто и недорого. Хорошо, что она не надела на прогулку свое эксклюзивное платье «от Тамары», она в нем смотрелась бы нелепо и привлекала всеобщее внимание. И хорошо, что она не пошла на поводу у мужа, не поддалась на его провокации и не накупила себе нарядных платьев и вычурных сарафанов, ограничившись белыми брюками и простыми майками, которые здесь оказались как раз к месту. Очки со стразами, правда, Лешка ей все-таки купил, и их придется носить, потому что никаких других очков она с собой не взяла, а вот насчет шляпы, на которой так настаивал Чистяков и которую он тоже купил, придется подумать.

Сувенирный киоск Галины Симонян оказался закрыт, но это ничего, времени у них, как теперь выяснилось, более чем достаточно, и разыскать вдову хирурга Симоняна они успеют. Рядом с киоском, как и говорил Бессонов, расположилась столовая «Волна», а строго напротив нее — заведение с точно таким же названием, но поименованное «кафе».

— Давай зайдем, — предложил Чистяков.

— Ты что, голодный? — изумилась Настя, которая после обильного обеда все еще не пришла в себя окончательно.

— Просто интересно вспомнить, что такое столовая. В Москве столовые остались только в учреждениях и на предприятиях, в городе подобные точки общепита давно прекратили свое существование. Хочется тряхнуть молодостью.

Они зашли, и Чистяков тут же прилип глазами к вывешенному на стене перед стойкой раздачи меню. Звучало все вполне симпатично, и цены были абсолютно божескими, на сто рублей можно было съесть два, а то и три блюда.

— А теперь пошли посмотрим цены в кафе с одноименным названием, — решительно заявил Чистяков. — Я должен получить представление, что сколько стоит.

— Зачем?

— А просто так. Любопытно. И потом, я же вернусь в Москву, выйду на работу, меня будут спрашивать, как там, в Южноморске, стоит ли сюда ехать отдыхать. Хочу иметь возможность дать полный отчет. У нас народ, сама понимаешь, — бюджетники, на Турцию с Грецией не у всех денег хватает.

Меню в кафе «Волна» впечатляло как ценами, так и названиями блюд.

— Смотри, Аська, салат под названием «Чернява дивчина». Как ты думаешь, это съедобно?

Она заглянула через плечо мужа в папку с меню и хмыкнула.

— Было бы странно, если бы за двести рублей оказалось несъедобно. А вот еще какой-то «Хуторок», аж за целых двести пятьдесят. Ой, а кофе-то, кофе-то! Это ж на одном только кофе разориться можно! В Москве и то дешевле.

— Решено, — кивнул Алексей, захлопывая папку, — мы идем гулять, а когда проголодаемся, вернемся сюда ужинать, заодно и узнаем, почему здесь все так дорого. На мой вкус, так можно было бы и в столовке поесть, дешево и сердито.

— Леш, здесь дорого.

— Ну и что? Думаешь, в других местах дешевле? Дешевле выйдет только в столовой. А у нас сегодня праздник, и я не позволю снижать пафос мероприятия меркантильными соображениями.

— Какой праздник? — Настя испугалась, что в суете опять, как водится, забыла какую-нибудь важную дату.

— Первый день пребывания вдвоем на курорте, — торжественно объявил Чистяков. —

В последний раз подобное событие имело место больше двадцати лет назад. Неужели это не стоит отметить?

— Стоит, — согласилась она.

Они не спеша прошли до конца набережной, разглядывая товары в киосках и интересуясь меню и ценами во всех кафе и ресторанах подряд, сравнивая стоимость блюд и хихикая над их вычурными названиями. Когда набережная кончилась, они вернулись обратно к «Волне» и заняли столик у самого парапета, чтобы видеть пляж, на котором, несмотря на довольно позднее время, все еще оставались отдельные отважные купальщики. Настя попробовала «Черняву дивчину», Чистяков взял «Хуторок», съев по половине порции, они обменялись сначала тарелками, потом впечатлениями.

— Ничего особенного, — пожал плечами Алексей.

— Согласна, — кивнула Настя. — Выброшенные деньги.

На горячее они заказали черноморскую форель, им хотелось съесть рыбу, которая не знала и, вероятнее всего, никогда не узнает, что такое холодильник и лед. Рыба оказалась отличной. А вот десерты, которые они съели не от голода, а исключительно из любопытства, их разочаровали: несмотря на экзотические названия, они оказались обыкновенным мороженым, обильно политым приторно-сладким вареньем. В общем, ужин обошелся им почти в полторы тысячи рублей вместе с чаевыми. Конечно, по московским меркам это было более чем приемлемо, ведь в столице есть рестораны, где и за пятьдесят тысяч можно поесть, но в той же самой столице есть кафе, где цены существенно ниже и пообедать вдвоем можно куда дешевле. «Да, — подумала Настя, — Евтеева была права в своей курортной арифметике, а ведь мы взяли далеко не самые дорогие блюда. Понятно, почему все кафешки и ресторанчики на набережной стоят пустые, никто здесь не питается».

Вернувшись в гостиницу, они уселись в лоджии и принялись составлять план действий. Завтра они попытаются найти Галину Симонян, а если не удастся, то придется прибегнуть к помощи местной милиции. Накануне отъезда из Москвы Настя позвонила Ивану Алексеевичу Заточному, и тот пообещал, если будет нужно, помочь и свести с кем-нибудь из Южноморского уголовного розыска. Так что контакт с милицией, считай, обеспечен.

— Мне все-таки кажется, что мотив убийства был чисто корыстным, — сказала она. — Ну сам посуди, кому нужно убивать старика, который вот-вот сам скончается, даже если он кого-то очень обидел? А вот необходимость срочно подтвердить свою кредитоспособность — это веский мотив, и здесь стоит покопаться. В этом смысле очень перспективен брат заказчицы Евгений Евтеев, и начинать основную работу надо именно с него.

— Так его же нет в городе, — возразил Алексей.

— Ну и что? Он мне и не нужен пока. Надо собрать сведения о финансовой стороне его бизнеса. И потом, может быть, он игрок?

— Может быть. Но я бы все равно с тобой поспорил.

— Интересно, о чем?

— Знаешь, Асенька, месть — она ведь иррациональна. В ней, строго говоря, нет ни малейшего смысла. Но ведь люди мстят, значит, они находят в ней свой личный смысл. Иногда человеку важно просто что-то сделать, чтобы не чувствовать, что он позволил безнаказанно себя обидеть, понимаешь?

— То есть ты считаешь, что месть — это пустой звук? — недоверчиво переспросила Настя.

— Конечно. Как бы ты ни мстил, ты все равно не сделаешь так, как было раньше. Человека не вернешь, искалеченную жизнь не исправишь, нанесенную обиду из памяти не сотрешь, женщина тебя снова не полюбит. Ну, или мужчина, это как сложится. За местью всегда стоят сугубо личные мотивы, и они у всех разные.

— Может быть, — задумчиво протянула она, — может быть. Но за что можно мстить старому доктору, который всю жизнь лечил детишек? Нет, Леша, я все-таки больше склонна искать корыстный мотив. Вот попомни мои слова: это или брат заказчицы расстарался, или в семье был какой-то раритет, о котором заказчица не знает. Кстати, не исключено, что обе версии срастутся, если выяснится, что раритет был и брат о нем знал.

Легкий теплый ветерок шевелил ветви огромных платанов, вода в бассейне была уже не голубой, а серебристо-серой, и так хорошо было сидеть рядом с мужем и знать, что впереди — долгий спокойный сон, который не прервет телефонный звонок с требованием «срочно прибыть», и утром можно будет не спеша завтракать и пить кофе за столиком на свежем воздухе... Поистине, райский уголок.

* * *

Костюм сидел отвратительно, и Ардаев брезгливо скривился, глядя на свое отражение в зеркале примерочной кабины. Брюки висят, пиджак морщит на рукавах. А еще называется бренд! На какие фигуры они там шьют, в этом модном доме?

— Размер подошел? — послышался из-за занавески голос продавщицы.

— Нет, — громко и зло произнес Ардаев. — Ни размер, ни фасон. Принесите еще что-нибудь, только приличное.

Через минуту занавеска дрогнула, появилась рука с серым в тонкую полоску костюмом. Ардаев взглянул сперва на название фирмы — оно показалось ему незнакомым, затем на цену. Цена была внушительной, но все-таки не такой, какой должна быть у настоящих брендовых вещей.

— Это я даже мерить не стану, — заявил он, возвращая костюм. — За такие деньги пошив не может быть хорошим.

Его слова возымели свое действие — сразу видно: человек при деньгах и разбирается. Возникла некоторая пауза, потом послышался другой голос, мужской.

— Могу я предложить вам чай, кофе или воду? Вы посидите в кресле, а мы вам подберем варианты и покажем, вы сами решите, что примерять.

Вот это другой разговор. Собственно, ради такого обращения Ардаев и пришел сюда. Он будет сидеть в кресле, пить чай и со снисходительным презрением, чуть прищурившись, смотреть на продавцов-консультантов, которые с угодливой улыбкой начнут приносить ему по-настоящему дорогие вещи от настоящих модных домов. Он натянул свои брюки от Берберри, сорочку от Дольче и Габбана и пиджак из последней коллекции Гуччи и вышел из примерочной.

Ардаев любил роскошь. Даже не саму роскошь как таковую, сколько ситуации, когда окружающие понимают, что он — человек с деньгами. С большими деньгами. Именно поэтому он одевался только в Москве — здесь дороже. Конечно, он вполне мог бы купить билет эконом-класса до Милана или Мюнхена, забронировать недорогую гостиницу и за три-четыре дня одеться с ног до головы в брендовые шмотки, не переплачивая за растаможку и аренду торговых площадей в центре столицы, — вышло бы все равно дешевле. Но он не хотел дешевле, он не любил дешевле, он любил покупать там, где все заведомо дороже и где продавцы отлично понимают, что берут две с половиной, а то и три реальных цены. Все то же самое можно купить в другом месте дешевле, но если человек покупает здесь, значит, у него столько денег, что разница в ценах для него не только не существенна — он ее просто не замечает. На него начинают смотреть как на покупателя, который «может себе это позволить». Вот что по-настоящему важно для Ардаева. Поэтому он и дорогие рестораны любит, хотя кухня в них далеко не всегда самая лучшая, но зато официанты и метрдотель смотрят на него так, как ему нравится.

Деньги от последнего поступления уже заканчиваются, но один дорогой костюм он все-таки еще может себе позволить. Оставшихся средств должно хватить на то, чтобы красиво прожить еще месяц-полтора, ни в чем себе не отказывая. Нужно во что бы то ни стало добиться того, чтобы получить еще деньги. Много денег. Пора менять машину. И новую девицу надо бы завести, прежняя пассия ему уже прискучила. И в Куршавель зимой съездить было бы неплохо, цены там неоправданно высокие, это как раз то, что надо.

Он маленькими глотками пил плохо заваренный чай (тоже еще, бутик называется!) и из-под полуопущенных век смотрел на то, что ему предлагали продавцы.

— Вот на этот пуловер сейчас хорошая скидочка...

— Сэйл даже не предлагайте, — с отвращением проронил Ардаев. — Меня интересуют только последние коллекции.

Вот этот костюм от Армани вроде бы ничего, и вот этот, от Бриони, тоже вполне приличный. Вопрос в том, как эти костюмы сядут на его далеко не идеальной фигуре. Он выбрал вещи и снова отправился в примерочную. Как он и предполагал, один из костюмов сидел плохо, зато второй оказался словно сшит специально для Ардаева, по его росту и телосложению. Он внимательно осмотрел себя со всех сторон и довольно улыбнулся. Годится.

Откинув занавеску, он выглянул из примерочной.

— Подберите к нему сорочку и все аксессуары, — бросил он, не глядя на продавцов.

Разумеется, то, что ему предложили, было самым дорогим, включая сорочку и галстук от Хермес и брючный ремень. И даже носки запредельной цены и туфли из кожи каймана. Но он, Ардаев, может себе это позволить.

Покупки уложили в большой фирменный пакет, присовокупив в качестве подарка недорогой портплед, и Ардаев отправился дальше, в сторону своего любимого Третьяковского проезда, до которого было всего минут пятнадцать пешком. Он останавливался перед витринами, заходил в бутики, смотрел товары и мечтал о том, как непременно купит себе и эти часы известной фирмы, и эти ботинки из кожи, взятой из голени страуса, и вот этот толстый вязаный кардиган из овечьей шерсти от Дольче и Габбана с их фирменными швами наружу, и от вон той кожаной куртки с трикотажными вставками от Прада он тоже не откажется. И вот еще отличная сумка из шоколадно-коричневой телячьей кожи, отделанная внутри замшей, по размеру как раз для поездок на два-три дня, за сто сорок тысяч. Но это будет потом, позже, когда снова появятся деньги. А они обязательно появятся, надо только набраться терпения.

Насмотревшись и намечтавшись вдоволь, он отправился обедать в ресторан, где многократно бывал раньше и где его помнили и даже любили за щедрые чаевые. Он сделал заказ по памяти, не глядя в меню, и, когда официант отошел, достал телефон. Настроение у Ардаева было приподнятым, как и всегда после походов по магазинам и особенно после дорогих покупок, и он решил, что сегодня ему обязательно должна улыбнуться удача. Вот сейчас он позвонит — и ему скажут, что все в порядке, дело сдвинулось с мертвой точки и уже совсем скоро будет получен результат. А значит, совсем скоро будут и долгожданные деньги.

— Ну, как там у вас? — небрежно бросил он в трубку, уверенный в том, что его и так должны узнать, поэтому можно не представляться и даже не здороваться.

Однако то, что он услышал, разочаровало Ардаева. Дело не сдвинулось, и когда будет результат — непонятно.

— Я уже жалею, что отдал такое перспективное дело в ваши руки, — сухо проговорил он. — Вы не в состоянии с ним справиться. Мне нужно было поискать кого-нибудь другого.

Ему пришлось некоторое время выслушивать оправдания, ссылки на неточность исходных данных и неполноту информации и заверения в том, что в ближайшее время обязательно наметятся положительные сдвиги.

— Вы просто не умеете делать то, за что взялись, — зло завершил разговор Ардаев. —

Вы пустили все на самотек и полностью утратили контроль над ситуацией.

Настроение, еще недавно такое радужное, померкло, и свой изысканный обед он доедал совершенно без аппетита.

* * *

Супруги Сорокины предавались тихим радостям совместного чтения: Вилен Викторович полулежал на диване, подсунув под спину мягкую подушку, а Ангелина Михайловна читала вслух новый широко разрекламированный в прессе роман известного французского писателя. Так повелось у них издавна, еще с тех пор, когда новые хорошие книги было трудно достать, их брали у друзей или в библиотеке и долго рядились, кому читать первому, а кто будет ждать. Ангелина Михайловна очень хорошо читала, неторопливо, с выражением и удивительно четкой дикцией, и проблема, таким образом, решилась сама собой, и пусть книга прочитывалась не так быстро, зато никто не ждал и не завидовал другому.

Эта идиллическая картина была прервана телефонным звонком. Вилен Викторович сделал жене знак остановиться и потянулся за мобильником. Звонок был, несомненно, важным: на этот номер ему мог позвонить только один человек.

— Есть что-нибудь новое? — раздалось в трубке.

— Пока нет, — вздохнул Сорокин.

— Долго еще вы будете копаться? Время идет, а у вас никакого сдвига, никакого результата. В чем дело, Вилен Викторович?

— Но мы стараемся... — растерянно ответил Вилен, который, судя по всему, не ожидал такого резкого напора. — Мы же не виноваты, что у нас пока ничего не получилось... Мы стараемся, мы уже нащупали направление...

— У вас было целых три дня праздников, за это время можно было горы свернуть, а вы все на месте топчетесь! — на этот раз собеседник повысил голос, который теперь звучал сердито и раздраженно. — Ладно, завтра встретимся, все подробно обсудим и выработаем стратегию.

Вилен Викторович положил телефон на стол и обескураженно взглянул на жену.

— Сердится. Даже голос повысил. Геля, но мы же и в самом деле не виноваты, правда? Мы с тобой делаем все, что можем, а этот... а он позволяет себе кричать на меня.

Ангелина Михайловна сняла очки для чтения, заложила ими раскрытую книгу, протянула руку и погладила мужа по ладони.

— Конечно, Виленька, мы стараемся, мы делаем все, что можно сделать в этой ситуации. Он, наверное, не принимает во внимание, сколько ограничений он сам нам поставил. Этого нельзя, того нельзя, этого не говорить, о том не спрашивать, вот мы с тобой и выкручиваемся как можем. А то, что он позволил себе повысить на тебя голос, — это ерунда, не бери в голову. Он просто дурно воспитан, как все нувориши. У нас с тобой есть цель, и цель благая, а на все остальное мы не должны обращать внимание.

Как правило, Ангелине Михайловне удавалось успокоить мужа. Удалось и на этот раз. Но что-то подсказывало ей, что этот раз, пожалуй, будет последним. Вилен уже на пределе.

— Читаем дальше? — спокойно предложила она.

— Да какое теперь чтение... — Сорокин расстроенно махнул рукой. — Давай лучше обдумаем положение дел и подготовимся к завтрашнему разговору.

— К завтрашнему? — удивилась Ангелина Михайловна, которая не слышала реплик телефонного собеседника своего мужа.

— Ну да, он сказал, что завтра соберемся и все обдумаем. Стратегию выработаем. Черт возьми, кем он себя возомнил, этот деляга? Великим полководцем? Крупным политиком? Стратегию он собрался вырабатывать, ты только подумай! Сам бы встал на наше место и попробовал своими руками сделать то, что он нам поручил, а я бы посмотрел, как далеко он смог бы продвинуться при таких ограничениях.

— Значит, завтра придется ехать?

— Придется. Сказал, что пришлет машину, как обычно, к двум часам.

— Жаль, — вздохнула Ангелина Михайловна, — завтра Люсенька работает в первую смену, после трех она будет дома, и мы с ней договорились, что я научу ее делать пресное тесто для домашней лапши. Этот наш стратег нам все планы ломает.

— Вот именно, — буркнул уже выпустивший пар и несколько успокоившийся Вилен Викторович. — И я ему обязательно завтра об этом скажу. Если он хочет получить результат, пусть не мешает работать. Геля, у нас есть что-нибудь вкусненькое?

Ангелина Михайловна тихо улыбнулась и пошла на кухню. Она хорошо знала своего мужа, потому и готовила каждый день что-нибудь такое, что Вилен любит и что можно на ходу сунуть в рот. Пирожок, тарталетка с начинкой из салата или сдобная булочка всегда были для него лучшим лекарством от стресса.

* * *

Полковник Алекперов слов на ветер не бросал и после встречи с Борисом Кротовым вплотную занялся розысками Валерия Стеценко, осужденного в 1986 году за убийство своей сожительницы Ларисы Кротовой. Хану потребовалось два дня, чтобы выяснить, что после освобождения из колонии Стеценко осел в Твери, по крайней мере паспорт нового образца ему выдавался в 2002 году именно там. Алекперову пришлось сделать добрый десяток телефонных звонков, прежде чем он добрался до участкового, обслуживающего в Твери адрес, по которому был зарегистрирован Стеценко.

— А зачем он вам? — тут же задал встречный вопрос участковый, до которого Хан дозвонился не без труда.

— А зачем вопрос? — быстро отпарировал Алекперов. — Оперативную необходимость еще никто не отменил.

— Это да, — загадочно вздохнул участковый. — Только необходимость ваша теперь без надобности. Убили его. Между прочим, у вас же, в Москве.

— Когда?

— Да недавно совсем, недели три назад.

— Раскрыли?

— Сие мне неведомо, — усмехнулся участковый. — Кто мы такие, чтобы перед нами столичные отчитывались?

Алекперов быстро понял, что участковый московских оперов не жалует. Надо было спасать положение.

— Ну, расскажите хоть что-нибудь про него, — умоляющим голосом попросил он. — Как жил, сколько пил, не было ли приводов. И вообще, чем он дышал.

— Чем дышал — не знаю, он на моей территории последние годы и не жил, у него баба завелась, вот у нее он и обретался. Вроде там даже ребенок имеется. По моей части ни в чем замечен не был.

— Откуда же вы знаете, что его убили?

— Так запрос приходил из Москвы, паспортные данные его проверяли.

— Откуда запрос — не помните?

— Из Центрального. Еще вопросы будут?

— Спасибо, — поблагодарил Хан.

Значит, убийство Валерия Стеценко произошло в Центральном округе столицы. Это хорошо. Потому что уголовным розыском в этом округе командует Николай Александрович Селуянов, для Хана — просто Колька, давний приятель и очень хороший сыщик. Правда, «хороший сыщик» не означает «хороший начальник», но уж договориться-то они всегда смогут.

Через час полковник Алекперов сидел в кабинете полковника Селуянова и разливал коньяк в малоподходящие для столь тонкого напитка водочные стопки — никакой другой более или менее пригодной для дружеского возлияния посуды у Николая Александровича не нашлось.

— Этим убийством лейтенант Ежов занимается, — говорил Селуянов, нарезая крупными кусками сочные зеленые яблоки. — Сейчас его найдут, он подойдет и все тебе расскажет.

Они успели выпить по две рюмки и обсудить странные, на взгляд обоих, решения, принимаемые в Министерстве внутренних дел, когда пришел Ежов, крепкий симпатичный парнишка, открытое лицо которого украшали два едва заметных параллельных шрама, тянущихся от края губ к уху.

Валерий Стеценко был убит 11 апреля около полуночи или чуть позже в Грохольском переулке. Труп лежал в укрытой деревьями беседке метрах в пятнадцати от жилого дома. Череп Стеценко проломлен чем-то тяжелым, рядом валялся кусок арматуры. Обжившие территорию бомжи были немедленно доставлены в местное отделение и с пристрастием допрошены. С их слов выходило, что поздно вечером к беседке подошли двое мужчин, один из них дал спящим в беседке бомжам две бутылки пива и попросил освободить место для дружеской беседы. Бомжи пиво взяли и убыли на другую сторону двора. Выпили пиво и радостно уснули. Проснулись уже утром, когда кто-то нашел труп и стали раздаваться громкие крики и шумные разговоры. Как выглядели эти мужчины и был ли один из них именно тем, кого впоследствии нашли убитым, они сказать не могли: во-первых, было очень темно, рядом с беседкой нет света, а во-вторых, они сами были спросонок и спьяну, так что не больно-то рассматривали, кто там пришел в их беседку, главное, что опохмелиться дали.

Бомжам, как водится, не поверили и задержали их «до выяснения». Однако вскоре пришлось их отпустить: документы и деньги Стеценко оказались на месте, так что никакого резона убивать его у бомжей не было. Правда, сперва предположили, что денег у Стеценко было много больше, чем осталось, то есть какую-то сумму бомжи все-таки позаимствовали, потому и мурыжили их в камере, но когда выяснили, где работал погибший, и допросили бригадира ремонтников, то стало понятно, что у убитого осталось ровно столько денег, сколько ему выдали по окончании работ. А уж когда подоспела экспертиза, то несчастных сразу отпустили — на куске арматуры не обнаружили их потожировых следов.

Самым же любопытным было то, что на этой арматурине вообще никаких потожировых следов не обнаружили, равно как и крови, мозгового вещества и волос. То есть складывалось такое впечатление, что арматурина валялась в беседке сама по себе, а убили Стеценко каким-то совершенно иным предметом. Однако вывод экспертизы был четок и однозначен: совпадение формы предмета и краев раны идеально. То есть либо череп Валерию проломили именно этой арматуриной, либо точно такой же, в точности совпадающей по форме, но которую преступник унес с собой. Последнее предположение показалось сыщикам и следователю маловероятным, а вот над первым пришлось подумать. И ничего другого им не придумалось, кроме версии о том, что убийца принес эту злосчастную арматурину с собой, предварительно завернув во что-то, например, в полиэтилен, и ударил Стеценко по голове, не разворачивая, а потом снял то, во что орудие убийства было завернуто, и унес, а само орудие бросил. Кстати, зачем? Наверное, тяжело было нести. Да и вообще, зачем оно ему? А полиэтилен или что там было на самом деле — это уже опасно, на этом остались его следы, так что надо убирать с места преступления подальше.

И еще одно обстоятельство озадачивало: в беседке не обнаружилось ни бутылки со спиртным, ни стаканов. То есть справедливости ради надо сказать, что бутылок и пластиковых, а также бумажных стаканчиков там валялось в избытке, но ни на одном предмете не было следов Стеценко. Другими словами, стакана, из которого он пил, там совершенно точно не было. И куда он делся? Ясно, куда: убийца унес вместе с бутылкой, потому что там есть его следы. Но существует ведь и другое объяснение, куда более простое. Мужики, которые прогнали бомжей, задобрив их двумя бутылками пива, были сами по себе, посидели, выпили и разошлись. А Стеценко и его убийца пришли в эту беседку позже, и вовсе они в ней никакие спиртные напитки не распивали. Зачем они тогда туда пришли? Место-то стремное, темное, бомжи опять же. Ну, мало ли... Может, нужда какая случилась.

В общем, после того, как отпустили на все четыре стороны бомжей, основным направлением работы стал поиск того, с кем Стеценко мог встретиться поздним вечером 11 апреля. Нашли фирму, в которой он работал, дотошно опросили всех членов бригады, выяснили, что в день убийства сдали объект, отметили, как полагается, потом Стеценко вместе с двумя товарищами по бригаде, братьями Руссу из Смоленска, зашел на съемную квартиру за вещами, они вместе доехали до «Белорусской», где Руссу вышли, а Стеценко поехал по Кольцевой линии дальше, до «Комсомольской», ему нужно было попасть на Ленинградский вокзал. Убит же он был неподалеку от станции «Проспект Мира». Непонятно, пил он в Грохольском переулке или нет, но уровень алкоголя в крови у него был достаточно высокий, хотя это можно объяснить и коллективным отмечанием сдачи объекта. В любом случае он пришел в беседку не один, в этом сомнений нет: он ведь ехал на вокзал, и зачем бы он стал выходить на полдороге, если бы не встретил кого-то? Или у него эта встреча была назначена? Тоже может быть. Хотя братьям Руссу Валерий Стеценко ничего об этом не говорил, но, возможно, встреча была очень секретной? Опять же непонятно, какие такие невозможные секреты могли быть у рабочего-ремонтника? Шпионские, что ли?

— Так вы выяснили, кого он мог встретить? — нетерпеливо спросил Селуянов, слушая подчиненного.

— По Москве весь круг его знакомств проверили. Никого на подозрении нет. Главное — нет мотива. Ни с кем не ссорился, в долг ни у кого не брал и никому не давал, жену ни у кого не уводил.

— Ну, и дальше что? — Селуянов явно начинал сердиться.

— А дальше надо ехать в Тверь, выяснять круг его знакомств и возможные мотивы для убийства. Может, встретил случайно земляка, решили выпить, отметить встречу, потом чего-то не поделили, разругались, и вот результат. Только сомнительно, чтобы случайно встреченный земляк мог иметь с собой завернутую в полиэтилен арматурину и чтобы у него хватило ума бутылку и стаканы с собой забрать, если убийство было спонтанным.

— Так почему ты до сих пор не поехал? Я что, должен над душой у вас стоять и каждый шаг контролировать? Детский сад, ей-богу! Ты чем вообще целыми днями занимаешься, Ежов? Почему до сих пор самого элементарного не сделано?

— Николай Александрович, у меня, кроме этого гастарбайтера, знаете еще сколько дел? — огрызнулся Ежов. — Рук на все не хватает, будто вы не знаете.

— Знаю. Иди давай, работай. Чтоб завтра же был в Твери!

Дождавшись, когда за оперативником закроется дверь, Селуянов с горестным вздохом обернулся к гостю.

— Вот я ору на них, изображаю из себя крутого босса, а чем я лучше? Когда опером бегал, так тоже разрывался между десятком дел, одно делаю — другое провисает, об одном помню — другое напрочь забуду, одно мне интересно, а другое — скучно, вот хоть стреляй меня, не могу себя заставить, пока следак мне уши не надерет. А у следака-то еще хуже ситуация, мы-то, опера, хоть какую-никакую специализацию имели: у одних кражи, у других грабежи с разбоями, у нас убийства были и тяжкие телесные, то есть хочешь не хочешь — а мозги в определенном направлении настраивались, и работать было полегче. А следаки все подряд дела волокли, у них специализация чисто номинальная была, а разве в голове все удержишь? Следак замотается и забудет, а я и рад, что не спрашивают. Хреново быть начальником, когда с самых низов начинал, все время помнишь, как сам работал, и ругать просто язык не поворачивается.

Они еще посудачили о трудностях работы в уголовном розыске, и Хан начал прощаться.

— Подружке своей привет передавай, — сказал он.

— Подружке? Это кому же?

— Каменской. Давно мы что-то с ней не сталкивались.

— Так она в отставку вышла, — сообщил Селуянов. — Зимой еще.

— Да что ты? — удивился Хан. — Что так? Надоело? Устала? Или денежная работа привалила?

— Возраст ей вышел.

— Да брось ты! — не поверил Алекперов. — Какой такой возраст? Сколько ей?

— Пятьдесят через месяц будем праздновать.

— Быть не может! — ахнул Хан. — Я был уверен, что ей не больше сорока. Она же как девочка выглядит, худенькая такая, с хвостиком, в джинсиках. Ну, если пятьдесят, тогда понятно, сейчас сроки всем без разбора не продлевают, не то что раньше. Это раньше полковник мог до шестидесяти лет служить без головной боли. Меня тоже скоро попросят выйти вон. А у тебя как с этим делом?

— Мне продлили, — почему-то грустно ответил Николай. — Так что еще пару лет оттрублю на своем месте, а там придется что-то искать.

Информация, полученная в кабинете Селуянова, обескуражила Хана. Сомнений нет, убийство Стеценко мало похоже на случайное, уж очень предусмотрительным и хладнокровным оказался преступник. Но это как раз занимало Ханлара Алекперова в самой малой степени. Его интересовало другое: если Стеценко уже три недели как покойник, то кто же шлет Борису Кротову загадочные письма? Может быть, все дело в плохой работе почты? Стеценко отправил оба письма с интервалом в несколько дней еще перед смертью, а шли они долго, сейчас это бывает куда чаще, чем прежде. Надо повнимательнее посмотреть конверты и изучить штемпели, на которых проставляется дата, когда письмо обработали в почтовом отделении.

Он сел в машину, включил свет в салоне и достал оба конверта. На первом письме стояла дата 18 апреля, на втором — 24 апреля. То есть к тому моменту, как первое письмо было извлечено из почтового ящика и прошло обработку, Стеценко уже неделю как был мертв. Хан еще раз внимательно изучил штемпели. Первое письмо было отправлено из подмосковной Дубны, второе — из Малоярославца, что в Калужской области. И никаких образцов почерка, и адрес в окошечке конверта, и тексты писем напечатаны на лазерном принтере. Очень современно и крайне неудобно для расследования.

Итак, он оказался в той же точке, с которой начал: в момент убийства Ларисы Кротовой в квартире находились три человека, двое из них мертвы, а третий получает письма с предложениями рассказать, как все было, как будто он сам этого не знает. Чушь несусветная.

* * *

В первый после праздников рабочий день Настя и Алексей с самого утра отправились на набережную искать Галину Симонян, но ее киоск по-прежнему был закрыт.

270

— Да тетя Галя никогда так рано не открывается, — весело заявила девушка, та самая, которая накануне вручила Чистякову чудовищную мышь в качестве приза за «лопнутые» шарики.

— Но она сегодня будет? — спросила Настя.

Девушка пожала плечами:

— Должна быть. Она каждый день работает.

— А вчера вечером ее не было, — заметил Чистяков.

— Пораньше закрылась.

По мнению девушки, объяснение было исчерпывающим, она отвернулась от них и снова принялась зазывать редких прохожих на свой аттракцион.

Набережная с утра была еще более безлюдной, чем вечером, однако пляж оказался битком забит отдыхающими, лежащими на подстилках и полотенцах. Вдоль берега стояли девственно-пустые белоснежные шезлонги, за которые никто не хотел платить.

— Ну что, будем гулять и ждать, когда откроется киоск? — спросил Алексей.

— Поехали в налоговую, — решительно сказала Настя. — Во второй половине дня повторим попытку с Симонян, а сейчас не будем терять времени.

— А ты знаешь, где здесь налоговая?

— Понятия не имею, но Интернет знает все. Пока ты с утра пораньше плавал в бассейне, я посмотрела официальный сайт и выписала адрес. Будем надеяться, что местные водилы нас доставят.

— И что, вот ты так просто придешь в налоговую инспекцию, спросишь про своего Евтеева, и тебе сразу все расскажут? — недоверчиво прищурился Чистяков. — Ты меня заранее предупреди, в какой кабинет пойдешь, я буду стоять на улице под окном и ловить тебя, когда тебя будут выкидывать оттуда под фанфары.

— Не дождешься, — фыркнула Настя. — На работе у Стасова я за три месяца приобрела некоторые весьма полезные навыки и совершенно перестала стесняться совать «котлеты».

— Совать котлеты? Это что, жаргон?

— Жаргон, Лешенька, жаргон. «Котлета» — это свернутая в трубочку пачка денег, иногда еще так называют конверт с деньгами. Запомни, пригодится.

Они довольно быстро поймали машину и через десять минут выходили у здания налоговой инспекции.

— А откуда ты знаешь, кому надо совать эту самую «котлету»? — не унимался Чистяков, пока они поднимались по лестнице.

— Сейчас увидишь, — пообещала она.

Они медленно пошли вдоль длинного коридора, и Настя внимательно изучала таблички с именами сотрудников инспекции.

— Ты ищешь конкретного человека?

— Нет, я ищу конкретный кабинет, в котором сидят двое сотрудников.

— Почему двое? — удивился Чистяков.

— Потому что если один, то это какой-нибудь руководитель. А если трое и больше — трудно улучить момент. Два человека — самое оно.

— Для чего? — продолжал не понимать Леша.

— Долго объяснять, — отмахнулась Настя. — Проще показать. Который час?

— Одиннадцать, точнее — без семи минут.

— Отлично. Рабочий день начался в девять, сейчас самое время чайку попить. Вот смотри, в семнадцатом и двадцатом кабинетах сидят по двое. Занимаем позицию и глаз не спускаем с обеих дверей.

Ожидающих в коридоре было немного, сроки подачи деклараций уже закончились, и Настя легко нашла два свободных стула. Из двадцатого кабинета вышел мужчина, Настя слегка напряглась, но тут же расслабилась: мужчина принялся торопливо складывать бумаги в папку, из чего стало понятно, что это не сотрудник, а посетитель, тем более из очереди сразу же вышла женщина и прошла в кабинет.

Они терпеливо ждали, прошло минут тридцать, и из семнадцатого кабинета вышла полная дородная дама с «халой» на голове и в блузке с блестками. В руках у дамы был небольшой кошелек. Настя легонько ткнула мужа локтем: внимание!

Дама вышла было окончательно, но потом приоткрыла дверь и громко спросила:

— Ты точно не пойдешь? Может, все-таки передумаешь? У Кисловой день рождения, она торт выставляет.

— Не соблазняй меня, — донеслось из кабинета, — у меня разгрузочный день, я и так растолстела. И с бумагами полный завал.

— Ну, как знаешь.

Дама аккуратно прикрыла за собой дверь, при этом лицо ее выражало не то обиду, не то досаду.

— Я пошла, — шепнула Настя. — Пожелай мне удачи.

Все получилось быстро и несложно. Сидящая на диете инспектор согласилась за деньги предоставить сведения о финансовом положении фирмы Евгения Евтеева. Она пообещала сразу же посмотреть документы и встретиться с Настей во время обеденного перерыва.

— Но я вам и без документов скажу: Евгения Дмитриевича весь город знает, у него хорошая репутация, он человек очень аккуратный и осторожный, не любит рискованных авантюр, в азартных играх замечен не был, и долгов у его фирмы нет. Он очень обеспеченный и благополучный, — сказала инспектор.

— А кто у него «крыша»? — поинтересовалась Настя.

— Милиция, — равнодушно сообщила инспектор.

Похоже, ее нисколько не смущало ни то обстоятельство, что она торгует служебной информацией, ни то, какие деликатные вопросы ей задают. «Привыкла, наверное, — решила Настя, — не я у нее первая, не я последняя».

Они с Чистяковым прошлись по городу, поинтересовались ассортиментом товаров в магазинах, съели по чебуреку, сидя на лавочке, и к часу дня подошли к кафе, где назначена была встреча с инспектором из налоговой. Инспектор действительно сидела на диете, от угощения отказалась, пила только воду. Ничего интересного Настя от нее не услышала: в финансовых делах фирмы Евтеева царит идеальный порядок, нет даже намека на какие-то сомнительные ситуации, невыполненные контракты или невозвращенные задолженности.

— Придется звонить Заточному, — вздохнула Настя. — Он обещал дать контакт с местными обэповцами.

Иван Алексеевич Заточный связал ее с неким Вадимом Уваровым, который согласился помочь, чем сможет, но, сославшись на занятость, встречу назначил только на завтра.

— Опять полдня пустые, — пожаловалась Настя Чистякову. — Одна надежда — на Галину Симонян. Поехали на набережную.

Но надежде не суждено было сбыться, киоск с сувенирами и ракушками по-прежнему стоял запертый.

— Она сегодня не приходила, — сказала девушка Лопни-шарик. — Может, заболела.

— А где она живет, не знаете?

— Да откуда же?

Настя снова начала нервничать, она не привыкла так работать: сделать что-то за час и потом несколько часов бездельничать. Хотя, как выяснилось, бездельничать оказалось довольно приятно. А может быть, дело в том, что она так редко бывает где-то вместе с мужем и проводит с ним так преступно мало времени?

Они отправились гулять по городу, изучали местность, запоминали расположение улиц, рассматривали дома, не уставая удивляться причудливости застройки: новые коттеджи и гостиницы соседствовали со старыми, порой разваливающимися домишками, а то и откровенными хибарами. В одном месте рядом с навороченным домом в итальянском стиле за белым кружевным забором стояла лачуга за покосившейся изгородью, а перед ней — старый ржавый «Москвич-402», на котором, судя по всему, уже давно никто не ездил. Этому «Москвичу» лет было столько же, сколько самой Насте, и она была уверена, что таких машин уже в природе-то не осталось. Почти на каждой калитке висели таблички «Сдаются комнаты», на всех гостиницах такие же таблички извещали о наличии свободных номеров. Валентина Евтеева права, места в гостиницах в этом городе не проблема.

— Аська, я на карте нашел парк имени Пушкина, — заявил Чистяков. — Давай его найдем, по парку погуляем.

Парк они нашли довольно быстро, но на деле это оказались два отдельно стоящих небольших сквера, правда, очень ухоженные, с фонтаном, скамеечками и выложенными красивой плиткой дорожками.

— Какой странный парк, — удивилась Настя. — Два сквера, да еще на расстоянии друг от друга. Ты где-нибудь такое видел?

— Я — нет, — ответил Алексей. — А вот мы сейчас спросим у старожилов, что это за фокус.

Он обратился к пожилой паре, мирно сидящей на скамеечке. Те живо откликнулись на вопрос и с удовольствием поведали о том, каким большим и красивым был когда-то парк имени Пушкина, но потом, при новом строе, центральную часть парка стали вырубать, погубили старинные платаны, земля здесь очень дорогая, и городские власти продали ее под строительство коттеджей и гостиниц.

— Здесь же и море рядом, и центр города, — говорила пожилая женщина, — здесь стоимость земли доходит до двухсот тысяч евро за сотку.

От таких цифр у Насти голова закружилась. Да, Рублевка, пожалуй, может отдохнуть. Но если в этом городе земля такая дорогая и все-таки ее кто-то покупает, значит, бизнес здесь развивается и богатые люди есть. А значит, есть мощные криминальные структуры. Может, не так все гладко с Евгением Евтеевым?

— Леш, давай мороженого купим, — попросила она.

Они купили в палатке, расположившейся на краю сквера, мороженое, съели его на ходу и вернулись в гостиницу. Переодевшись, спустились к бассейну, выпили кофе, поплавали, поужинали, и Настя вдруг поняла, что почему-то ужасно устала. Вроде и не делала ничего сложного из того, что нужно для работы, только два визита в палатку Симонян, встреча с инспектором налоговой и разговор с Уваровым, который можно вообще не считать — полторы минуты, двадцать слов, — а усталость такая, словно отработала полноценный рабочий день.

— Просто ты отвыкла ходить пешком, — с улыбкой объяснил ей Чистяков. — Ты же в основном в машине теперь передвигаешься. И потом, от впечатлений тоже устаешь. Ты столько времени проводишь в Москве, что там тебя уже ничто впечатлить не может, ты и так все знаешь, а здесь новое место, новые улицы, новые дома, и люди другие, и воздух другой, и еда другая. От этого тоже очень устаешь.

— Точно? — засомневалась Настя.

— Поверь мне, как опытному путешественнику, — заверил ее Чистяков, который объехал и Европу, и Америку. — Любая перемена, даже в положительную сторону, — это стресс для организма. Ложись-ка ты спать, дружочек.

Этому совету она последовала с огромным удовольствием и уже через несколько минут спала как сурок.

* * *

Встреча с оперативником Вадимом Уваровым ничего нового не принесла. Имя Евгения Евтеева было ему знакомо, вероятно, инспектор из налоговой не ошиблась, когда сказала, что Евгения Дмитриевича в городе хорошо знают, но ничего компрометирующего о сыне убитого доктора Уваров рассказать не смог. То, что было ему известно, лишний раз доказывало, что к убийству своего отца Евтеев вряд ли причастен.

— Мне нужны сутки, чтобы собрать более подробную информацию, — сказал Уваров.

Ладно, еще день Настя может подождать. Может быть, все-таки что-нибудь выплывет...

* * *

Во второй половине того же дня капитан Уваров, подходя к зданию городского Управления внутренних дел, столкнулся со следователем Неделько, который вел дело об убийстве доктора Евтеева.

— Привет, как дела? — мимоходом спросил Уваров.

— Все пучком, — широко улыбнулся следователь.

— Слушай, Неделько, ты с убийством доктора накосячил, что ли?

— Почему ты решил? — нахмурился Неделько. — Там все чисто, все, что могли, сделали, из-под себя выпрыгивали, чтобы этого гастролера установить. Дело приостановили, все чин чинарем. А в чем дело? Почему ты спросил? Опять дочка доктора воду мутит? По инстанциям, что ли, пошла? Вот ведь неугомонная!

— Да тут из Москвы приехали какие-то частные сыщики, младшим Евтеевым интересуются, сыном доктора. Не знаешь, к чему бы это?

— Понятия не имею, — пожал плечами следователь. — Может, у Евгения Дмитриевича по бизнесу проблемы?

Уваров следователя не любил и с удовольствием заметил некую тень беспокойства на его сытом округлом лице.

— Ну, может, может... — согласился он, всем своим видом давая понять: «Может, так, а может, и не так вовсе».

* * *

Следователь Неделько долго смотрел вслед Уварову, скрывшемуся за дверью управления, потом сел в свою машину, завел двигатель, но с места не тронулся. Подумал немного, достал телефон и позвонил.

— Это Неделько из Южноморска, — представился он. — Тут по делу доктора оживление намечается, москвичи какие-то нагрянули. Чего им надо — не знаю, на меня пока не выходили... Нет, мне сказали... Вадим Уваров из розыска... Но мне неудобно спрашивать, я же не могу демонстрировать свою заинтересованность... Нет, он мне не дружбан, у нас отношения прохладные... Ладно, я понял... Хорошо. Если что — еще позвоню. Буду держать вас в курсе.

* * *

Наконец-то им удалось застать на набережной Галину Симонян, которая оказалась крепко сбитой моложавой женщиной в коротких брючках-«капри» и свободной рубашке в клеточку. Она долго удивлялась тому, что Валентина Евтеева все-таки добралась до Москвы и даже добилась, чтобы люди специально приехали в Южноморск разбираться. И конечно же, выразила полную готовность рассказать все, что знает.

Отношения у ее мужа и Дмитрия Васильевича сложились не сразу. Герман Георгиевич был очень хорошим и знающим хирургом, и, когда прежний завотделением стал собираться на пенсию, ни у кого даже сомнений не было в том, что его место займет Симонян. И вдруг, как гром среди ясного неба, появился Дмитрий Васильевич Евтеев, которого в больнице знать никто не знал и которого перевели указанием сверху из какого-то Руновска. Все отделение тогда возмущалось, все окрысились на нового заведующего. И Герман очень переживал, он чувствовал себя оскорбленным. Тем паче Евтеев плохо обращался с персоналом, часто повышал голос, говорил резко и даже грубо, обижал людей. Настроены к нему были крайне враждебно и даже поговаривали о том, чтобы написать петицию в горздравотдел.

Но спустя какое-то время Герману Георгиевичу пришлось оперировать вместе с Евтеевым, и в тот день он сказал жене:

— Правильно, что он стал завотделением. Я — очень хороший хирург, а Евтеев — талантливый. Это гораздо больше.

А спустя еще какое-то время Гера стал рассказывать, что Дмитрий Васильевич очень хорошо общается с больными детьми и их родственниками, находит нужные слова и правильную интонацию, чтобы, с одной стороны, все объяснить, а с другой — не напугать сверх меры и не лишить надежды. С детьми он ласков, весел и внимателен, с родителями — спокоен, терпелив и уважителен. И те и другие его просто обожают. А вот персонал больницы продолжал доктора Евтеева не любить.

Прошло немало времени, прежде чем Герман Георгиевич пригласил Евтеева к себе на дачу вместе со всем отделением встречать Новый год. Это была давняя традиция. Дачей назывался дом родителей Германа в предгорье, на большом участке, и вот уже много лет все отделение с супругами собиралось там на новогодние шашлыки. Нового заведующего решили тоже пригласить, хоть и не любили его, но нужно же соблюдать приличия. Может, он сам откажется... Но Евтеев, ко всеобщему удивлению и даже к некоторой досаде, не отказался, приехал вместе с женой.

— Что уж там произошло между Димой и Герой, я не знаю, Гера никогда в подробностях не рассказывал, но с той ночи между ними завязалась крепкая дружба. Знаете, как бывает: пошли вместе к мангалу, простояли там вдвоем минут двадцать, уходили чужими людьми, а вернулись почти родными. А я с Александрой Андреевной подружилась, с Шурочкой, она оказалась женщиной удивительной душевной чистоты и порядочности.

— А Бессонов говорил, что с Евтеевыми трудно было поддерживать тесный контакт, — заметила Настя. — Он утверждает, что они были замкнутыми и не особенно дружелюбными.

— Ну, это для кого как, — улыбнулась Галина. — Жена Коли Бессонова их действительно не любила, что было — то было. Дима с Герой сошлись на профессиональной почве, а мы с Шурочкой нашли друг в друге понимание правильного воспитания детей. У нас с ней по этому вопросу были совершенно одинаковые взгляды, так что нам было легко общаться. Мы обе считали, что нельзя сюсюкать, жалеть, баловать и потворствовать. И в общем-то жизнь показала, что мы были правы: у Евтеевых очень хорошие дети, что Женя, что Валюшка, да и наши выросли честными и добрыми.

Что же касалось раритетов, предметов коллекционирования и врагов — об этом Галине Симонян ничего известно не было.

— Да откуда у Димы враги? — искренне недоумевала она.

— Ну а родители детей, лечение которых не привело к успеху? — спросила Настя. — Они могли затаить злость на доктора и отомстить ему?

Галина покачала головой:

— Нет, это исключено. Я сама жена врача и скажу вам совершенно ответственно, что родители не станут мстить таким хирургам, как Симонян или Евтеев. В их квалификации никто не сомневается, у них безупречная врачебная репутация, их уважают и ценят, задолго в очередь записываются, чтобы попасть именно к ним хотя бы на консультацию. И если у них что-то не получается, значит, это просто судьба, а уж ни в коем случае не вина хирурга. Никому никогда не придет в голову обвинять врачей такого уровня в медицинской ошибке или халатности.

Настя спросила, с кем из бывших коллег Евтеева имеет смысл встретиться. Если существовала традиция встречать Новый год всем отделением вместе с семьями, значит, Галина должна знать и самих врачей, и их жен и мужей.

— Даже и не знаю, что вам посоветовать, — задумалась Симонян. — Диму ведь так и продолжали не любить. Уважать как врача — это одно, а любить как человека — совсем другое. Он многих обижал, и, как говорил Гера, претензии Митины далеко не всегда были обоснованными, мог и не по делу ругаться и выговаривать. Так что вряд ли вы услышите от врачей в отделении что-нибудь хорошее.

— После смерти вашего мужа Евтеев так ни с кем из коллег и не сошелся?

— Нет, ни с кем. Он очень тяжело переживал уход Геры.

Об этом и Бессонов говорил. Стало быть, в больнице у покойного доктора Евтеева остались одни враги. Может быть, имеет смысл там поискать?

— Я понимаю, о чем вы думаете, — внезапно улыбнулась Галина. — Выбросьте это из головы. Врачи — это особая категория людей, для них чужая жизнь — это непреходящая ценность. Никто из них не станет убивать другого человека за грубое слово или косой взгляд. Никто и никогда.

Ну, это всего лишь суждение жены врача, а уж Насте-то хорошо известно, какие люди и по каким ничтожным поводам, случается, лишают жизни своих обидчиков.

— Могу вам посоветовать поговорить с Эммой Петровной, — продолжала между тем Симонян, — она работает в больнице очень давно, еще до Димы пришла. Она, наверное, единственная, кого он не обижал.

— Вот как? — насторожилась Настя. — Почему? У них был роман?

— Да господь с вами! — засмеялась Галина. — Какой роман? Дима ни разу не посмотрел на другую женщину, он был очень привязан к Шурочке.

— Так почему же он ее не обижал?

— Это совершенно дурацкая история, но я вам расскажу, конечно. Дело в том, что в Диму была влюблена Наденька, сейчас она уже старшая медсестра, а когда Дима только появился в больнице, она была совсем молоденькой девочкой, сестричкой. Влюбилась просто без памяти, до такой степени, что не могла себя контролировать, смотрела на него с немым обожанием, старалась все время ему на глаза попадаться, каждое слово ловила. В общем, полный караул. Диме это, естественно, не нравилось, он был с ней резок, грубил, даже, кажется, хамил, а она только еще больше погружалась в свою влюбленность. И вдруг все стало как-то проходить.

— Что, разлюбила?

— Да мы с Герой тоже так подумали, мы же с ним все обсуждали, я всегда была в курсе всего, что происходило в больнице. Потом оказалось, что Эмма, она тогда была врачом-ординатором, взялась за Наденьку крепкой рукой и вправила ей мозги, объяснила, что так нельзя себя вести, что она ставит человека, которого любит, в сложное положение, и все такое. Наденька океаны слез на груди у Эммы выплакала, но Диму преследовать перестала. Когда Гера об этом узнал, он сказал Диме, кого следует благодарить за то, что Надя больше не бегает за ним как хвостик. Думаю, Дима при всей своей резкости старался Эмму не обижать. Он действительно был ей благодарен.

Что ж, подумала Настя, возьмем на заметку. Значит, Эмма Петровна и старшая медсестра по имени Надежда. Найдем. Но это все, включая Галину Симонян, люди, которые хорошо относились к доктору. А что скажут те, кто относился к нему плохо, те, кого он обижал?

— Может, знаете, кого Евтеев обижал чаще всего?

— Чаще всего? — усмехнулась Галина. — Знаю. Это доктор Гулевич. Только он в нашей детской больнице давно не работает. Вы у Эммы спросите, она вам расскажет подробности.

— А если не расскажет?

— Расскажет обязательно. А уж если нет, тогда вы снова ко мне приходите, я расскажу, что знаю. Просто Эмма знает лучше, это их внутренняя больничная история, она произошла, когда Геры уже не было, так что я ее знаю из третьих рук.

Настя вдруг подумала, что они разговаривают с Галиной уже давно, и за это время ни один человек не подошел к киоску и не поинтересовался сувенирами и ракушками. Да, не бойко идет у нее торговля. Наверное, не так уж много вдова хирурга Симоняна зарабатывает своей нехитрой коммерцией.

— Как называется эта ракушка? — спросила Настя, показывая на нежно-розовую раковину с округленными лучами-отростками.

— Это мурекс, ее еще называют невестой.

Надо же, какое название! Настя неожиданно поняла, что не знает ни одного названия выставленных в киоске раковин.

— А эта?

— Касис. А вот эта называется хирония, или Рог Тритона. Вам что-то понравилось?

— Да, — решительно ответила Настя. — Вот эта невеста. Сколько она стоит?

— Ну что вы, я вам подарю, — замахала руками Галина. — В память о Диме и в знак благодарности за то, что вы Валюшке помогаете.

— Ни в коем случае. Я куплю.

Настя достала кошелек, стараясь не встречаться глазами с Чистяковым, который с трудом скрывал недоумение и насмешку. Взяв в руки тяжелую раковину, она поймала себя на мысли, что впервые в жизни покупает сувенир на курорте. Лешка, конечно, скажет, что покупать ракушки — это пошлость и мещанство, но неужели можно прожить жизнь, не совершив ни одного пошлого и мещанского поступка? Ну хотя бы попробовать, как это бывает. И раковин у нее никогда в жизни не было...

Ею овладело ранее никогда не испытанное чувство, ей хотелось узнать и испытать как можно больше того, что прежде было ей недоступно и в силу занятости и сконцентрированности только на работе, и просто в силу того, что она жила в Москве и мало где бывала за пределами столицы. Она прожила слишком серьезную жизнь, в которой было много чужого горя и чужой боли, мало собственных радостей и совсем не было глупого, но такого сладкого легкомыслия. А кто сказал, что в пятьдесят лет поздно начинать? Никогда не поздно!

Личные мотивы. Том 1

— И зачем ты это купила? — ехидно спросил Леша, когда они отошли от киоска Галины Симонян. — Пожалела вдову, у которой торговля не идет?

— И пожалела, — она с вызовом посмотрела на мужа. — А что в этом плохого? Ты тоже, как при советской власти было принято, считаешь, что жалость унижает человека?

— Ничего я не считаю. Но у тебя как-то подозрительно блестят глаза. Ну-ка признавайся, в чем дело.

Она помялась немного, но рассказала мужу о своих неожиданных чувствах.

— Так, приехали, — вздохнул Чистяков. — И чем мне это грозит?

— Чем? — Настя оглянулась и увидела очередной аттракцион: за двадцать рублей можно было сфотографироваться с плохо сделанным манекеном красотки с необъятным выпирающим почти на метр бюстом. — Если будешь издеваться, я заставлю тебя сфотографироваться вот с этой девицей. Всего двадцать рублей — и в твоем институте тебе обеспечена репутация Казановы. Поди, плохо!

— Может, лучше навертим тебе на голове африканские косички? — предложил Алексей, показывая рукой на плакат, извещающий о том, что прямо здесь можно сделать новомодную прическу. — Свежо, оригинально и всего за десятку. Дешевле выйдет.

— Ах так?! — Она завертела головой в поисках контраргумента и увидела сидящую на парапете девушку с игуаной в руках. — Тогда ты будешь фотографироваться с игуаной.

— С игуаной? — Он делано испугался и изобразил на лице панику. — Ни за что!

Тут Настя заметила неподалеку двух юношей, один из них держал в руках огромного яркого попугая, у другого на плече сидела маленькая обезьянка. Юноши тоже предлагали всем желающим сфоткаться с их питомцами.

— Нет, ты будешь с игуаной, — твердо заявила она, сдерживая смех, — она страшная, чешуйчатая и кусачая, а я, тебе назло, буду сниматься вот с этими славными животными, они наверняка тепленькие, меховые и приятные.

— Ага, — поддакнул Леша, — особенно попугай меховой.

— Ну, перистый, какая разница, все равно приятно.

— Даже не вздумай, — он вдруг стал серьезным. — Мало ли какая от них зараза.

«Ладно, — подумала Настя, — пока уступлю, но все равно обязательно сфотографируюсь с обезьяной. И с попугаем тоже».

— Хорошо, но мне самой можно их снять? Я для чего с собой третий день фотоаппарат таскаю?

— Можно, — великодушно разрешил Чистяков. — Их снимать — можно. Только в руки не бери.

Парни поймали Настин взгляд, поняли, что речь идет о них, и тут же подскочили.

— Фото с обезьяной и попугаем вам на память! Не хотите?

— Сколько? — спросила Настя.

— Двести за кадр.

— А если я сама буду снимать своей камерой?

— Тогда сто. Но только животных. Если будете снимать мужа, то сто пятьдесят.

— Нет, только животных, — заверила Настя. — Муж сниматься не будет.

— Муж пойдет пить пиво, — сказал Чистяков, — он не желает присутствовать при этом безумии. Аська, когда закончишь, найдешь меня вон в том заведении.

Настя достала камеру и начала снимать сначала попугая, потом обезьянку, и как-то так получилось — она даже сама не поняла как, — что она уже стояла с обезьянкой в руках, а парень усердно фотографировал ее, щелкая ее же собственной камерой.

— А теперь встаньте так, — командовал он.

— А теперь вытяните руку, — и сажал попугая ей на ладонь.

— Теперь стойте ровно и не бойтесь, — и обезьяна оказывалась у нее на плече, а попугай — на голове.

— А теперь вытяните руки в стороны ладонями вверх...

Настя послушно выполняла все указания парня, она не очень хорошо понимала, что происходит, потому что отвлеклась на ощущение маленькой кожаной теплой ладошки обезьянки у себя в руке. Ладошка была шоколадно-коричневой, с тоненькими пальчиками и такими же коричневыми ноготками, прямо как у человечка, и Настю охватило какое-то непонятное умиление и нежность к этому порабощенному покорному существу, которому, наверное, смертельно надоело перекочевывать из рук в руки и изображать из себя модель и которое так доверчиво прижимается к ее шее мягкой ухоженной шерсткой. «Как странно, — подумала она, — от попугая у меня нет вообще никаких ощущений, кроме его острых когтей, хотя он изумительно красивый, с красной головой, зеленым телом и синим хвостом, а эту невзрачную обезьянку я словно всем своим существом чувствую».

Она опомнилась:

— Достаточно, спасибо. Сколько я вам должна?

Юноши забрали у нее животных и начали щелкать кнопкой просмотра, чтобы посчитать количество кадров.

— Тридцать три кадра по двести рублей... — задумчиво произнес хозяин обезьянки.

— Шесть шестьсот, — тут же посчитала Настя и обомлела.

Ничего себе! Она и ахнуть не успела, как ее развели на такую сумму. Неужели она так увлеклась собственными новыми ощущениями? Идиотка!

— И еще ваших десять кадров, когда вы сами снимали. Еще тысяча.

Лешка точно убьет ее, и будет прав.

Или не прав?

Она отдала деньги и спросила:

— Как зовут ваших зверей?

— Это Геракл, — гордо объявил хозяин обезьянки. — А попугай у нас Тимоха.

Настя сунула кошелек и камеру в сумку и отправилась в бар, где Чистяков, сидя за стойкой, потягивал пиво и болтал с девушкой-официанткой. Едва увидев Настино удрученное лицо, он сразу обо всем догадался.

— Сколько? — только и спросил он.

— Семь с половиной. Леш, я невероятная дура, ты меня прости.

— Да брось ты, — улыбнулся Алексей. — Ты хотя бы удовольствие-то получила?

— Я не знаю, — призналась она. — Это было не удовольствие, а какое-то другое чувство... Впрочем, не знаю, может, это и есть удовольствие. Я впервые в жизни держала в руках живую обезьянку. И попугая тоже впервые держала.

— Ну и ладно, такие впечатления тоже денег стоят, — философски изрек Чистяков. — Не расстраивайся.

И Настя в этот момент поймала себя на том, что и не расстраивается вовсе. Она и сама не понимала, почему чувствует себя такой счастливой, вроде и обмануть себя дала, и деньги потеряла, а все равно на душе было хорошо. Надо же, дожила до пятидесяти лет и только сейчас впервые в жизни сфотографировалась с обезьянкой и с попугаем, а ведь в Москве, наверное, тоже есть такие фотографы, она их даже, кажется, видела на Старом Арбате, что ли, или в каком-то парке. И почему ей в голову никогда прежде не приходило сделать такую фотографию или просто подержать животное в руках? Оказывается, это ужасно приятно. Наверное, она и впрямь жила слишком серьезно и целеустремленно, лишая себя маленьких милых радостей и таких чудесных ярких и теплых впечатлений.

* * *

Утро следующего дня началось с хорошей новости: во время завтрака к Насте подошел Николай Степанович Бессонов и сообщил, что Фридманы сегодня возвращаются в Южноморск.

— Я только что разговаривал с Яшкой по телефону, они уже в пути, планируют быть в городе часа в три. Как только они приедут, он мне позвонит, и я вам объясню, где их искать. Вы только оставьте мне свой номер телефона, чтобы я мог вам перезвонить.

Настя обрадовалась, она почему-то многого ждала от разговора с Фридманами. На двенадцать часов у нее была назначена встреча с

Уваровым, которая, как она надеялась, тоже принесет новую информацию.

Но Уваров ее разочаровал. Бизнес Евгения Евтеева чист, как слеза младенца, и никакие криминальные группировки его не трогают, потому что ему покровительствуют милицейские чины. И денег у Евтеева столько, что даже немалое отцовское наследство по сравнению с его состоянием — капля в море, не стал бы он из-за таких сумм убивать.

Да, ничего интересного. Но возникают все новые и новые вопросы. Например, почему, имея такого богатого сына, доктор Евтеев оказался исключительно на попечении дочери, когда заболел? Почему он не жил вместе с Евгением и его семьей? И если Дмитрий Васильевич был резок и груб с коллегами, то каким он был в кругу семьи? О том, что он был привязан к своей жене, говорила Галина Симонян, а вот как складывались его отношения с детьми? Галина искренне считала, что дети у Евтеевых «получились удачными» и, соответственно, отношения в семье были идиллическими. А так ли это на самом деле? Настя очень рассчитывала на жену Фридмана, потому что мужчины (и беседы с Бессоновым ее в этом лишний раз убедили) в отношениях между людьми не очень-то разбираются, просто потому, что не особенно наблюдательны и не замечают нюансов, которые обязательно заметят женщины. Жена Бессонова от четы Евтеевых дистанцировалась, а вот на жену Фридмана Настя возлагала большие надежды. Кроме того, она думала о том, что с Бессоновым отношения у Евтеева были все-таки не самыми близкими, поэтому Николай Степанович мог чего-то и не знать, Симонян, с которым доктора сближали профессиональные вопросы, умер, а вот Фридман, знавший Дмитрия Васильевича дольше, чем хозяин гостиницы, был Евтееву явно ближе. Все-таки соседи, да и страсть к рыбалке — они много времени проводили вместе.

Николай Степанович позвонил, когда Настя с Лешей бесцельно бродили по улицам, рассматривая город. Пока она разговаривала с Бессоновым, Чистяков вытащил из сумки справочник с картой, и они тут же нашли нужную улицу, на которой теперь жили супруги Фридман.

— А вы говорили, что они с Евтеевыми в одном доме жили, — удивилась Настя, увидев на карте, что искомый адрес находится в районе частных домов, а вовсе не многоэтажных зданий.

— Так они переехали, им дети коттедж построили, — объяснил Бессонов. — В общем, вы идите, они вас уже ждут.

Дом Фридманов они нашли быстро, их участок утопал в свежей зелени, а цветущие деревья черешни, слив и яблонь делали его пушистым и бело-розовым. Коттедж оказался небольшим и очень симпатичным. Сам Яков Наумович Фридман был маленьким, кругленьким, пухленьким, совсем лысым, очень живым и смешливым, а его жена Раиса Соломоновна, такая же маленькая и живая, была, напротив, худенькой и даже какой-то сухонькой. Оба сразу, едва встретив гостей, начали извиняться за то, что в доме нет угощенья — они только-только вернулись с Дона, ничего не успели ни купить, ни приготовить.

— Но вы не беспокойтесь, — быстро тараторил Яков Наумович, — Раечка сейчас все устроит.

— Да нет, это вы не беспокойтесь, — уверял его Чистяков, — нас не нужно кормить, мы же не в гости пришли, мы по делу. Нам бы о Дмитрии Васильевиче поговорить.

— Ничего не хочу слышать, — отмахнулся Фридман. — Для нас с Раечкой принять людей за накрытым столом — вопрос привычки и образа жизни. Иначе никакого разговора не получится.

— Я сейчас сбегаю на базар, — подхватила Раиса Соломоновна, — все куплю и быстро приготовлю.

Яков Наумович неожиданно нахмурился.

— Ты еще скажи, что пойдешь на Привоз, — недовольно проговорил он. — Сколько раз тебе повторять: надо говорить «на рынок», а не «на базар».

Его жена вздернула брови, неожиданно уперла руки в бока и заговорила с неподражаемым, но легко узнаваемым местечковым акцентом:

— На ринок?

Она так и сказала: на ринок, через «и».

— Еще же ж не все знают, шо я с Одессы! Так ты же ж уже всем расскажи, шоб все знали!

Настя прыснула, Чистяков открыто рассмеялся, а Фридман почему-то смутился. Раиса Соломоновна расхохоталась звонко и упоенно, даже слезы на глазах выступили.

— Я действительно одесская еврейка, — сказала она сквозь смех. — В свое время Яшенька с его рафинированным воспитанием был совершенно покорен моей черноморской непосредственностью, одесским колоритом и дивным акцентом. Но я уже столько лет живу с ним здесь, в Южноморске, что растеряла весь свой колорит. А он все выискивает неправильности в моей речи и не устает меня поправлять. Ну, я побежала. Скоро вернусь. Яша, где ключи от машины?

Яков Наумович выдал ей ключи от автомобиля, и она умчалась на рынок, а Настя начала задавать уже порядком надоевшие ей вопросы о раритетах, предметах коллекционирования и недоброжелателях Евтеева. Ответы она получила в точности такие же, что и прежде: не было, не было, не было.

— А какие отношения были у Евтеева с детьми? — спросила она.

— С Валечкой — очень хорошие, теплые, насколько это вообще возможно было при Митином характере, он ведь сухой был, жесткий, неласковый. А вот с сыном отношения прохладные.

Настя бросила на Чистякова многозначительный взгляд.

— Отчего так? — осведомилась она невинным тоном.

— Видите ли, Женя занялся бизнесом сразу же, как только это стало возможным, то есть больше двадцати лет назад, а в те времена бизнес был, сами понимаете, грязным. Мите очень не нравилось, что его сын в этой грязи болтается и говорит только о деньгах. Митя сердился, раздражался, даже кричал на Женьку, был момент — велел ему на порог не являться. Не разговаривал с ним тогда почти год. Потом как-то все успокоилось, Шурочка очень переживала, и Митя пошел на попятный, но так до конца и не смирился с тем, что его сын — богатый человек. Митя считал это неприличным. Женька много раз просил отца переехать к нему, он это предлагал, еще когда жива была Шурочка, и потом, после ее смерти, тоже уговаривал, но Митя категорически отказывался. Женя даже хотел построить отцу отдельный дом, если уж отец не хочет жить с ним и его семьей, но Митя и от этого отказывался и говорил, что в квартире ему отлично живется.

— Он еще знаете что Жене говорил? — раздался голос Раисы Соломоновны, и Настя страшно удивилась: оказывается, она так увлеклась разговором, что не услышала ни шума подъехавшей к дому машины, ни звука открывшейся двери, ни шагов хозяйки. — Мне почему-то запомнилось. Зачем, говорит, ты лезешь в эту грязь, если можешь позволить себе роскошь жить в душевной чистоте? Многие жизнь бы отдали за такую возможность, у тебя она есть, а ты ею пренебрегаешь. Жизнь тебя за это накажет. Я тогда очень удивилась, когда услышала.

— Да-да, точно, — подхватил Яков Наумович, — я тоже сейчас вспомнил, он неоднократно говорил это Женьке, и мне говорил, когда о сыне разговор заходил. Странная фраза, правда?

Это уж точно. Настя сделала подробную запись в блокноте. Неужели у доктора Евтеева совесть была нечиста? Надо бы разузнать поподробнее.

Она попросила Фридманов очертить круг знакомых Дмитрия Васильевича. Они тут же повторили слова Николая Степановича и Галины, дескать, тесно Евтеев общался только с Бессоновыми, Симонянами и с ними, Фридманами.

— Ну а второй круг, не такой близкий? Просто знакомые, которых Евтеев мог чем-то обидеть, разозлить, вызвать ненависть к себе.

— Ой, да обидеть Митя мог кого угодно, — тут же откликнулась Раиса Соломоновна, — очень уж он был на язык несдержан, особенно у себя на работе, в больнице. Нас-то он не обижал никогда, просто удивительно было слышать, когда Гера Симонян рассказывал, какой Митя у себя в отделении бывает. Прямо как будто два разных человека. В больнице-то у него, почитай, необиженных и не было. Но не убивать же из-за этого! Тем более что Митя три последних года не работал, болел, дома лежал.

— А про родителей тех детей, чье лечение не было успешным, ничего не слышали? — спросил Чистяков. — Может, Дмитрий Васильевич что-нибудь рассказывал или тот же Симонян? Например, что кто-то ходит с жалобами, написал заявление в прокуратуру и что-то в этом роде. Может, кто-то угрожал ему, обещал отомстить?

Настя кинула на мужа благодарный взгляд. Если уж они всюду ходят вместе, то надо делать вид, что они оба работают в частном сыске, а то получится, что она собирает информацию, а мужик при ней без дела болтается.

— Да вы бы у Галки Симонян лучше спросили, уж если кто и знает, так она, у Геры от нее секретов не было, — посоветовал Яков Наумович.

— Мы спрашивали, — вздохнула Настя.

— И что она вам сказала?

— Что у любого врача есть неудачи, но если врач хороший, то к этим неудачам все относятся как к судьбе, никому и в голову не приходит мстить за них.

— Ну вот, — констатировала Раиса, — Галка лучше знает. Нам тут и добавить нечего. Во всяком случае, при нас ни Митя, ни Гера ничего такого не рассказывали. О неудачах говорили, конечно, делились с нами, да и между собой обсуждали, горевали, все думали, как можно было бы сделать, что еще можно было бы предпринять, чтобы избежать фатального конца. Но чтобы кто-то угрожал — нет, об этом разговоров не было.

— Ну что ж, спасибо.

Настя поднялась, вслед за ней встал со своего места Алексей, но Фридман протестующе замахал руками.

— Куда?! Куда это вы собрались? А фирменные Раечкины баклажаны с грецкими орехами и чесноком? Вам нужно только немножечко подождать — и все будет готово! Нет, я вас не отпускаю, даже слышать ничего не хочу. Это будет непростительной ошибкой, если вы уйдете от нас и не попробуете Раечкины баклажаны.

Настя с мужем принялись отнекиваться, стараясь быть предельно вежливыми, но их старания успехом не увенчались.

— Вы таких баклажанов никогда и нигде не покушаете, только в нашем доме, — увещевал их Фридман. — Вы, наверное, в общепите кушаете?

Пришлось признаться, что так оно и есть. Конечно, а где же еще им питаться?

— Как — где?! — возмущенно воскликнул Яков Наумович. — Вы же у Коли живете, у него такие повара! У него же самые лучшие во всем городе повара, лучше его поваров только моя Раечка! Зачем вы ходите в какой-то общепит, когда вы живете у Коли! Короче, ничего не хочу слушать, сейчас мы пойдем с вами в сад, я вам покажу, что у нас там растет и цветет, а потом мы сядем за стол и будем кушать. И никак иначе быть не может.

Они сдались и покорно пошли осматривать сад.

Баклажаны действительно оказались очень вкусными, и от Фридманов Настя и Леша возвращались, еле передвигаясь от сытости.

— Давай пройдемся по набережной, растрясем еду, — предложил Алексей.

Настя согласилась. До набережной было минут двадцать ходу, но она шла с удовольствием, чувствуя, как постепенно спадает с нее сытая вялость. Едва они сделали несколько шагов вдоль парапета над пляжем, как наткнулись на паренька с обезьяной Гераклом. Паренек тут же стал предлагать им сфоткаться.

— Да мы уже вчера снимались, — с улыбкой сказала Настя.

Парень посмотрел на нее более внимательно и вдруг широко и радостно улыбнулся.

— Ой, вы же моя любимая клиентка! Я вас два года ждал!

Значит, невелики у него заработки, если столько, сколько Настя ему вчера заплатила, он за один раз уже два года не зарабатывал. Обезьянка вдруг прыгнула к Насте на грудь, обняла ее тоненькими лапками за шею и крепко прижалась. Настя от умиления чуть не расплакалась и неожиданно заметила, какой усталый, измученный вид у парня и какие грустные у него глаза. Видно, нелегкий это труд — целыми днями мотаться в поисках клиентов по набережной с обезьяной в руках. Пареньку было лет семнадцать-восемнадцать, худенький, низкорослый, он выглядел как будто недокормленным и в целом чем-то очень походил на обезьянку с гордым мощным именем Геракл.

— Это твоя обезьянка? — спросила она.

— Моя, — кивнул парень.

— А зимой как же?

— Живет со мной дома, — он снова улыбнулся.

— А попугай чей?

— В аренду взяли. Сезон закончится — вернем. А хотите, я вас еще бесплатно сфоткаю?

— Да нет, — отказалась Настя, — спасибо, больше не надо.

— Ну хотите — поснимайте Геракла, я денег не возьму, вы своей камерой снимайте, я его подержу. Хотите? Нет, правда, вы моя самая любимая клиентка.

— Спасибо, не нужно. Ну счастливо, удачи тебе.

Настя погрустнела, ей было отчаянно жалко и пацана, и Геракла.

— Ну конечно, — проворчал Чистяков, — ты у него самая любимая, кто бы сомневался! Он не соврал, он такую лохушку, как ты, два года не встречал.

— Леш, ему зверей надо содержать и кормить, и самому питаться, и вообще как-то жить. Он же целый день толчется на этой набережной, людей ловит, в глаза им заглядывает, предлагает сфотографироваться, и на руках все время обезьяненок, который тоже не сидит спокойно. Представляешь, как он устал? И как ему все это обрыдло? Да пусть он на наши

310

деньги хоть поест досыта, животное накормит и какие-то долги раздаст. Нет, Леш, мне этих денег совсем не жалко, наоборот, я рада, что все так вышло. Зато сколько радости мы ему доставили, представляешь?

Алексей обнял ее за плечи и вздохнул:

— Асенька, ты становишься сентиментальной. Это к старости, не иначе.

— Не смей говорить мне о старости! — рассердилась Настя.

— А чего ты так боишься? — удивился он. — Старость — это естественная вещь, никому не удалось ее миновать, кроме тех, кто умер молодым. И нечего ее бояться, я тебе это уж сколько лет объясняю, а ты все сердишься.

Она молча прижалась к плечу мужа. Как хорошо, что он рядом, и вообще хорошо, что он есть в ее жизни.

Глава 7

На следующий день после первой встречи со Славомиром Ильичом Валентина Евтеева еле-еле дождалась послеобеденного времени — именно после обеда она накануне гуляла по лесу по ту сторону трассы. Почему-то она ни минуты не сомневалась в том, что снова столкнется с красавцем ученым и они будут гулять вместе, сидеть на поваленном дереве и долго-долго разговаривать. И он будет смотреть на нее тепло и ласково, как смотрел вчера, и она будет слушать его низкий бархатистый голос с такими очаровательными интонациями, одновременно ироничноснисходительными и очень интимными.

Она долго обдумывала, что надеть на прогулку, чтобы не оказалось слишком нарочито нарядно и в то же время чтобы подать себя в наиболее выгодном виде. Рылась в вещах, прикладывала их к себе, отбрасывала с досадой на кровать и наконец остановилась на темносерых узких брюках и бирюзовой, подчеркивающей цвет глаз, свободной блузке навыпуск. Погода стояла жаркая, совсем летняя, и Валентине очень хотелось надеть белые джинсы, которые она любила больше всего, но ведь в белых джинсах не больно-то посидишь на стволе с осыпающейся корой, а если не сесть рядом, то и доверительного разговора не получится. Да и в блузке с длинными рукавами, наверное, будет жарковато, но цвет глаз в данном случае куда важнее.

Ровно в три часа, как и вчера, она вышла из дома Нины Сергеевны и отправилась по дороге к шоссе, пересекла трассу и углубилась в лес. Это было где-то здесь, да, верно, вот стоящие рядышком две высоченных сосны, а в нескольких метрах от них начинается тропинка, по которой накануне к Валентине вышел Славомир Ильич. Она стала прохаживаться по тропинке взад и вперед в нетерпеливом ожидании, стараясь на всякий случай идти так, словно просто бесцельно бродит и ни на что не рассчитывает. Не хватало еще, чтобы он сразу догадался, что она его тут поджидает! Ничего подобного, она гуляет, вот и все.

Время шло, а Славомир не появлялся. Валентина на всякий случай дошла до поваленного дерева, дорогу к которому она хорошо запомнила, но и там его не было. Она гуляла уже полтора часа... два... два с половиной, а ученый так и не пришел. «Наверное, заработался, — с грустью подумала Валентина. — Надо возвращаться, не до ночи же мне тут бродить. Если бы он хотел меня встретить, то уже пришел бы». Но она тем не менее пробыла в лесу еще минут сорок, прежде чем отправилась домой. Ничего, не последний день на свете живем, не пришел сегодня — придет завтра. Обязательно придет.

Назавтра она снова пришла в лес и опять никого не встретила. То есть не то чтобы совсем никого, несколько раз навстречу ей попадались прогуливающиеся жители поселка, но Славомира Ильича среди них не оказалось. Разочарование Валентины было глубоким и горьким. «Он общался со мной, потому что увидел красивую бабу и решил скоротать время, а как личность я ему неинтересна. Он, наверное, уже забыл про меня. А про то, что мы еще встретимся, сказал просто так, из вежливости, — твердила она себе, возвращаясь к домику Нины Сергеевны. — А может быть, у него действительно роман с учительницей арабского, как ее... кажется, Ольга, и три дня назад они поссорились, и он обратил внимание на меня, а потом они помирились, и Славомир и думать про меня забыл. Как жалко, боже мой, как жалко! Он так мне понравился. Он такой... необыкновенный, ни на кого не похожий. Я таких никогда в жизни не встречала, даже в кино никого похожего не видела».

Как ни силилась Валентина, она не могла перестать думать о новом знакомом, Славомир Ильич не шел у нее из головы, и она злилась на себя за то, что в первые же сутки после встречи напридумывала себе бог весть чего, хотя оснований никаких у нее для этого не было, и в то же время продолжала придумывать и мечтать.

На третий день она не выдержала и прошла лесом до самого дома Максима Крамарева, где работала Нина Сергеевна и где жил Славомир Ильич. К дому подходить не стала, стояла за деревьями и наблюдала сквозь чугунную кованую решетку за всеми передвижениями по территории громадного участка: а вдруг она его увидит? Просто увидит. Больше ей ничего не нужно. А вдруг он появится, и Валентина пройдет мимо ограды, словно гуляя, и он ее заметит, окликнет, выйдет за ворота...

Но он все не появлялся. К воротам подъехала машина. Ворота медленно распахнулись, машина въехала на участок и остановилась, из нее вышли мужчина и женщина в годах, где-то около семидесяти, как на глазок определила Валентина, бодрые, крепкие, ухоженные и хорошо одетые. Интересно, кто они? Наверное, родители хозяина дома или его жены. Следом за ними из машины вышел мужчина лет сорока — сорока пяти, с квадратным торсом и угрюмым лицом, и все трое скрылись в доме. Валентина сперва подумала, что «квадратный» — один из охранников, но по тому, как подобострастно заговорил с ним какой-то мужчина из обслуживающего персонала, поняла, что это, вероятнее всего, и есть сам Максим Крамарев.

И тут она заметила идущую по участку Нину Сергеевну, подошла ближе к ограде и замахала ей рукой. Нина Сергеевна подошла ближе.

— Что случилось? — с беспокойством спросила она.

— Ничего, — Валентина улыбнулась как можно беззаботнее, — я просто гуляла по лесу и вышла сюда случайно. Смотрю — вы идете, и я подумала, если вы скоро заканчиваете, то я вас подожду, вместе домой вернемся.

Она схватилась за этот спасательный круг в надежде на то, что Нина Сергеевна проведет ее на территорию и оставит ждать, и тогда, может быть... Но ничего не вышло.

— Нет, Валечка, у меня еще много работы в оранжерее, — покачала головой садовница. — Тебе нет смысла меня ждать, я часа три провожусь, если не больше. Возвращайся домой.

Валентина ушла удрученная и расстроенная.

* * *

Екатерина Крамарева, тридцати семи лет от роду, взяла на кухне большой поднос, поставила на сервировочный столик и сердито огляделa приготовленное угощенье. Чай, кофе, вода, сок, пирожные, корзинка с тостами, тарелки с малосоленой рыбой и нежирной бужениной, вазочка с икрой. Все как обычно. И, как обычно, подавать это особым гостям Максима придется именно ей.

Она попросила повариху довезти столик до крыльца гостевого домика, та помогла поднять столик по ступенькам, открыла перед Катей дверь во флигель и молча отступила. Все в доме знали, что когда приезжают «эти двое», то хозяин ведет их в жилище ученого и никому не разрешает туда приходить, кроме жены. Наверное, этот ученый, Славомир Ильич, ужасно секретный.

Так имела право думать прислуга, но Катерину эта секретность невероятно раздражала. И что еще за секреты такие, что нельзя никому, кроме нее, угощенье подать? Что это за таинственные заседания? И что это за парочка пожилых людей, которых муж водит в домик к Славомиру Ильичу Гашину и с которыми за закрытыми дверьми обсуждаются какие-то мировые проблемы? Максим ничего не рассказывает, и это бесит Катерину больше всего. Никогда прежде у него не было от нее тайн. Нет, она с пониманием относится к тому, что Крамарев покупает новейшую разработку, выполненную под руководством Гашина, и к тому, что итоговые научные документы Гашин дорабатывает именно здесь, где Максим создает ему всяческие условия и обеспечивает охрану от недобросовестных конкурентов, но всему же есть пределы, в конце-то концов! Кто эти пожилые люди? Тоже ученые? Маркетологи? Фармацевты? Зачем они приезжают? Какие такие проблемы обсуждают с ними Крамарев и Гашин? И почему Катерине нельзя об этом знать? Она что, шпионка?

Осторожность мужа переходит всякие границы. Не так давно у четырнадцатилетней дочери Крамаревых Алины возникли проблемы с задачами по химии, и Катя ничтоже сумняшеся, столкнувшись с Гашиным, попросила его помочь девочке разобраться. Он же химик, для него это раз плюнуть, дело пяти минут. Гашин сказал, что сейчас очень занят, и обещал помочь Алине попозже, вечером. Однако вечером приехал Максим и прямо с порога, даже не разdevшись, принялся гневно выговаривать жене за то, что та посмела побеспокоить его ученого гостя с такой ерундой. Гашина трогать нельзя, с разговорами к нему приставать нельзя вообще ни с какими, и уж тем более нельзя ни о чем его просить. Боже мой, Крамарев кричал так, что казалось, стекла из окон повылетают. Катя тогда здорово на него обиделась. Но еще больше она обиделась на самого Гашина, который, как она поняла, позвонил Максиму и пожаловался на нее. Тоже еще, великий ученый, а на деле оказался мелочным жлобом, который носится со своим величием как с писаной торбой.

Не нравится все это Кате Крамаревой, ужасно не нравится. Когда она семнадцать лет назад познакомилась с Максимом, он был молодым, двадцатипятилетним целеустремленным предпринимателем, имеющим четкое представление о том, какой бизнес и в каком направлении он хочет развивать. Ему это было интересно, он с удовольствием изучал литературу, с азартом участвовал в семинарах и деловых играх, ездил на всевозможные тренинги, учился, совершенствовался и с готовностью делился всем с Катей, все ей рассказывал. Она всегда внимательно слушала, иногда, если могла, давала советы и принимала во всех его начинаниях самое живое участие.

А в последние два года, когда появился этот ненавистный Виталий Андреевич, мужа словно подменили. И зачем Максим так рвется во власть? Это все влияние Виталия Андреевича, который спит и видит, чтобы Максим стал депутатом, а потом возглавил какой-нибудь комитет. И что ему с этой власти? Теперь Максим с утра до ночи занят своей предвыборной кампанией, Катю от этих проблем полностью отстранили, да она и не рвется, потому что вся эта политическая возня вокруг выборов с интригами и секретами ей глубоко противна, чего она, собственно говоря, от мужа и не скрывает. Может быть, эта пожилая пара имеет отношение не к разработке Гашина, а как раз к выборам? Но тогда почему Максим проводит с ними совещания не в предвыборном штабе, а у себя дома, и не просто дома, а у Гашина и с его участием?

Нельзя сказать, что эти вопросы мучили и терзали Екатерину Крамареву. Ей было все равно. Только ужасно противно. И вот это равнодушие, смешанное с отвращением, и пугало ее больше всего.

* * *

К пятнице, 7 мая, Настя наконец была готова посетить больницу, где работал Дмитрий Васильевич Евтеев. Первым делом она разыскала Эмму Петровну, о которой ей говорила Галина Симонян. Насте повезло, Эмма Петровна в этот день дежурила. Правда, разговаривать с ней было трудновато, она постоянно отвлекалась на телефонные звонки и вызовы медсестер, поэтому беседа заняла раза в три больше времени, чем Настя рассчитывала.

В больницу она пришла одна, Чистяков остался на улице подышать, как он сказал, чистым воздухом предгорья и почитать. Из Москвы он взял с собой айпод, в который предварительно закачал из Интернета около трехсот книг, как научных, так и художественных.

Эмма Петровна, приятная полная женщина примерно Настиных лет, с первого момента принялась рассказывать о том, как все уважали доктора Евтеева и каким превосходным хирургом он был. Настя поняла, что здесь «о покойных или хорошо, или ничего».

— Знаете, Эмма Петровна, я ведь уже встречалась с вдовой доктора Симоняна, — сказала она.

— С Галочкой? — вскинулась Эмма Петровна и вдруг смутилась.

— Да. Поэтому я примерно представляю себе, какие отношения были у Дмитрия Васильевича с персоналом вашей больницы. Насколько я понимаю, он был резким и грубым, говорил людям обидные вещи и даже оскорблял их. Ведь так?

Эмма Петровна залилась краской и отвела глаза, потом вздохнула:

— Так оно и было. Раз уж вы сами все знаете, то скрывать не стану, смысла нет. Меня он не обижал, врать не буду, но вот другим доставалось от души, это правда. Ругал он всегда по делу, справедливо, но очень уж обидными были слова, он их не выбирал. У нас в больнице не найдешь человека, которого Дмитрий Васильевич хоть раз не обидел бы. Разве что ночной сторож и я. Но руки у него были волшебные, талант хирургический такого масштаба, что ему и не такое простили бы.

— Значит, его прощали? — уточнила Настя. — Зла на него никто не держал?

Эмма Петровна задумалась, потом улыбнулась, вверху слева сверкнул золотой зуб.

— Дулись какое-то время, расстраивались, потом прощали. Человека ведь не переделаешь, уж какой есть, зато врач просто потрясающий. Его и дети любили, и их родители.

— Кстати, о родителях. Не было ли таких, кто остался недоволен результатами лечения? Может быть, кто-то угрожал написать в прокуратуру или подать в суд? Или вообще убить?

— Что вы, что вы, — замахала руками врач. — Такого никогда не было. Сам Дмитрий Васильевич частенько бывал недоволен, он был очень требователен к себе и к другим, всегда искал самые оптимальные пути и методы лечения, не успокаивался, пока ребенок не выздоравливал, после выписки долго наблюдал больного, если что-то казалось ему сомнительным. У родителей к Евтееву претензий никогда не было.

— Даже если дети погибали во время операции или после нее? — спросила Настя.

— Даже тогда, — кивнула Эмма Петровна. — Никому в голову не пришло бы обвинять Дмитрия Васильевича, все знали, что он никакой халатности не допустил бы, он был очень внимательным, дотошным и знающим специалистом.

— А анонимки на доктора приходили?

— Да за что же?! — удивилась она. — Взяток он не брал, вне очереди по блату никого не госпитализировал и не оперировал, честнейший был человек. Вы поймите, у нас город, конечно, немаленький, полмиллиона жителей, но все-таки не Москва. Если бы кто-то оказался недоволен настолько, что задумал бы мстить, кто-нибудь обязательно что-нибудь знал бы. И потом, прошло столько времени... Ну, отомстил бы сразу, чего ж было ждать так долго?

Это справедливо. Настя тоже об этом думала. Все-таки Евтеев не работал в больнице к моменту гибели больше трех лет.

— А про доктора Гулевича вы мне расскажете?

— Про Гулевича? — Эмма Петровна округлила глаза. — А что про него рассказывать? Гулевич после той истории сразу же уволился и переехал в Сочи, здесь он больше не появлялся.

— И все-таки, — настойчиво попросила Настя, — расскажите, пожалуйста.

Лет шесть-семь назад детская клиническая больница озаботилась вопросами пополнения собственного бюджета и решила оказывать платные медицинские услуги не только детям, но и взрослым. Доктор Гулевич вышел с инициативой организовать в ряду прочих платных услуг кабинет по водному детоксу, в котором работала бы ножная ванна для детоксикации организма.

Эта процедура очень популярна на Западе, в частности в Великобритании, доказывал он, и при хорошей рекламе можно делать на этом приличные деньги.

Евтеев выступал категорически против, он считал этот детокс полным шарлатанством, он вообще не был поклонником теории шлаков и их выведения, полагая, что медицинских оснований под этими теориями никаких нет. Гулевич усердно пробивал свой проект, и Евтеев предложил провести публичный эксперимент. Взял автомобильное зарядное устройство, два больших гвоздя, поваренную соль и налил теплую воду в ванночку. Поставил в воду ноги и опустил туда подсоединенные к зарядному устройству гвозди. Вода в ходе процедуры стала ржаво-коричневой, и отчетливо ощущался запах хлора. Именно эти проявления и трактуются за рубежом как результат выведения шлаков из организма. Евтеев отправил воду после процедуры в лабораторию, потом сменил воду в ванночке и проделал все то же самое с пластиковой куклой, которую позаимствовал у кого-то из детей, лежащих в больнице. И эту воду тоже отправил в лабораторию. Ответ из лаборатории подтвердил его доводы: результаты анализов оказались абсолютно идентичными, запах хлора давала под влиянием электродов брошенная в воду соль, которая является хлоридом натрия, а цвет получался от ржавчины, которая интенсивно образовывалась на железных электродах.

— И как вы сами считаете, эксперимент Евтеева имел под собой научную основу? — с любопытством спросила Настя. — Или это тоже был только фокус, шарлатанство, чтобы навредить Гулевичу?

— Не могу сказать точно, — развела руками Эмма Петровна. — Вообще-то Дмитрий Васильевич всегда был патологически честным человеком, я не верю, что он тоже мог пойти на обман, чтобы кого-то уязвить или наказать, но кто знает... Чужая душа — потемки.

— То есть вы допускаете мысль, что водный детокс на самом деле хорошая, эффективная процедура, просто доктор Гулевич почему-то очень не нравился доктору Евтееву?

— Все может быть.

— И что было дальше?

— Гулевич долго не мог простить Евтееву этого позора, проект, естественно, прикрыли, и никаких денег Гулевич не заработал. Если уж кто ненавидел Евтеева, то это он. Вскоре после того скандала он ушел из нашей больницы и переехал в Сочи.

Надо бы проверить этого Гулевича...

— Когда, вы говорите, это было?

— Лет шесть-семь назад.

Да, подумала Настя, долгонько этот Гулевич ждал, чтобы отомстить. Наверное, это все-таки не он. Не стоит овчинка выделки, не такие уж огромные деньги он потерял, чтобы мстить спустя столько лет и так жестоко и цинично. Надо сказать Стасову, пусть наведет

по своим каналам справки о докторе Гулеви-
че в Сочи, не ехать же ей туда самой. Но каков, однако, доктор Евтеев! Какой дотошный,
какой добросовестный, не позволял шарлата-
нам от медицины зарабатывать деньги на люд-
ской неграмотности. Просто-таки эталон порядочности. Не любит Настя эти эталоны, ох,
не любит.

Старшая медсестра Надежда Николаевна, в
отличие от Эммы Петровны, оказалась теткой
неприятной, суровой, нелюбезной. Настя почти сразу поняла, что она так и не избавилась от
своей тихой влюбленности в покойного доктора Евтеева. Надежда Николаевна даже мысли не допускала, что он мог кого-то обидеть
или кому-то причинить зло, и при малейшем
намеке на возможных недоброжелателей Дмитрия Васильевича мгновенно ощетинивалась и
начинала грубить. Ничего полезного Настя от
нее не узнала и сожалела о напрасно потрачен-
ном времени.

Чистяков ждал ее, увлеченно что-то читая с
экрана айпода.

— Соскучился? — спросила она, плюхаясь
рядом на скамейку. — Извини, что так долго
получилось, Эмма Петровна все время отвлекалась.

— Да я и не заметил, — великодушно ответил Алексей, — у меня книжка интересная. Ну, как успехи? Узнала что-нибудь важное?

— Практически ничего. С доктором Гулевичем история, конечно, любопытная, но, на мой взгляд, малоперспективная. Семь лет прошло, он давно живет в Сочи, если еще куда-нибудь не переехал. Сейчас позвоню Стасову, озадачу его, чтобы навел справки.

Леша выключил экран.

— Звони, и пошли питаться. Я такой голодный, что ни о чем думать не могу, кроме еды.

Стасов похмыкал в ответ на Настину просьбу и пообещал сделать что сможет.

— А вообще как тебе там? Ты мне что-то отчеты шлешь куцые, не то что раньше.

— Так сообщать нечего, с миру по нитке сведения собираю, но на то, чтобы сшить хотя бы портянки, пока не хватает. Стасов, я тебя предупреждала, что в праздники...

— Предупреждала, — согласился он, не дослушав. — А я тебя предупреждал, что у нас сложная заказчица и у нее свои требования. Она мне, между прочим, каждый день названивает, теребит, над душой стоит.

— Но завтра опять начинаются выходные, — жалобно проговорила Настя. — И опять три дня.

— Слушай, не доставай меня, а? — попросил Стасов устало. — Мы же договорились: если нет работы — ты отдыхаешь и набираешься сил. Учись, Каменская, радоваться жизни на пенсии, а то привыкла работать как ломовая лошадь и все отвыкнуть никак не можешь. В дельфинарий сходи, и еще мне говорили, что в Южноморске отличный океанариум. Посети, посмотри на красивое, порадуйся. И не морочь мне голову своими причитаниями.

Чистяков заметил Настино обескураженное лицо.

— Что? Стасов сказал что-то неожиданное? — спросил он, вставая со скамейки.

— Посоветовал нам с тобой сходить в дельфинарий и океанариум.

— А что? — оживился Леша. — Это хорошая мысль. Ты была когда-нибудь в дельфинарии?

Настя покачала головой:

— Никогда.

— А в океанариуме?

— Тоже не была. А ты?

— Ну, я-то всюду был, но с удовольствием схожу с тобой, посмотрю, как это устроено в Южноморске, а то я все больше по заграницам... Пошли, я тут, пока ты с врачом беседовала, осмотрел окрестности и нашел вполне симпатичную забегаловку.

Они дошли до расположенного в двух шагах маленького ресторанчика и устроились на улице в просторной деревянной беседке на пять столов, увитой искусственным диким виноградом.

Чистяков быстро съел окрошку и вытер салфеткой губы.

— Первый голод я утолил, и, пока нам принесут горячее, я готов тебя слушать. Что нам рассказали в больнице? Каковы твои впечатления?

Настя в двух словах пересказала все, что узнала от Эммы Петровны.

— Конечно, Евтеев был человеком сложным и неоднозначным, — подвела она итог. — Но мстить ему незачем и некому. Единственный персонаж, на которого имеет смысл обратить внимание, — это доктор Гулевич, но и он вызывает у меня большие сомнения. А так — полная пустышка. Ни у кого нет мотива. Или я не могу его найти.

— Асенька, если нет мотива, то надо, наверное, искать человека, который мог бы мстить, — заметил Алексей. — Найди человека, а мотив потом найдется.

Настя удивилась такому подходу.

— Но я так не умею, — озадаченно проговорила она, отламывая кусочек от теплой пресной лепешки. — Я привыкла отталкиваться от мотива. Как говорится, ищи, кому выгодно.

— А если ты не можешь найти? — настаивал Леша. — Ведь ты же не можешь, это очевидно. Значит, надо искать в окружении доктора Евтеева человека, который в принципе мог бы задушить беспомощного умирающего старика, причем сделать это из мести за что-то, что случилось очень давно, как минимум три года назад, потому что за последние три года доктор уже не работал и никому ничего не мог сделать ни плохого, ни хорошего.

Она с интересом посмотрела на мужа.

— И как его искать? По каким признакам?

Чистяков стал серьезным и сосредоточенным, как будто стоял за кафедрой и читал лекцию.

— Ася, ты пойми, мщением не занимаются все подряд. Каждого из нас кто-то когда-то унизил, оскорбил, обидел, но ведь не все же мстят, правда? Огромное число людей как-то обходится без этого. Для того чтобы пойти на месть, надо иметь определенный склад ума и определенные жизненные обстоятельства.

— Например, какие?

— Я считаю, что месть — удел тех, у кого образовалась пустота в жизни, и они пытаются эту пустоту заполнить некими действиями и переживаниями. Комплекс этих действий и переживаний они называют красивым словом «месть», а на самом деле это просто попытка решить личные проблемы. Они хотят разогнать скуку, наладить собственную жизнь, избавиться от чувства вины или от комплекса неполноценности. Вот как ты думаешь, почему иногда мстят неверным женам или мужьям?

— Из ревности, — быстро ответила Настя.

— Аська, ты мыслишь категориями, которые в тебя вдолбил твой Уголовный кодекс, — рассмеялся Чистяков. — Там написано, что ревность — это мотив, а ты и поверила, хотя кодекс писали люди неглубокие, у которых головы забиты штампами и шаблонами.

— Ну ладно, — согласилась она. — А как правильно?

— Ревность — это не мотив, это переживание. А мотив — это желание доказать, что ты лучше, сильнее, умнее. Или что ты не виноват. Что ты не бездействуешь, что ты не тряпка, которая позволяет кому-то обращаться со своей жизнью черт знает как. Переживание не может инициировать действие, а мотив — может. Другое дело, что переживание порождает мотив, это верно. Но не надо путать одно с другим. Запомни: переживание неприятного чувства порождает стремление от него избавиться, а уж выбор способа зависит от особенностей личности. Это может быть, например, аутотренинг, помощь психотерапевта, отвлечение на другие ценности, а может быть и некоторое действие, которое принято называть местью. Усекла разницу?

— Усекла. И как искать-то этого мстителя? Теорию твою я поняла, а что на практике?

— Ищи в окружении доктора человека, чья жизнь оказалась разрушенной, пусть и много лет назад, и так до сих пор и не наладилась. Или человека, который по каким-то причинам долго отсутствовал в городе или даже в стране, это еще проще. Если обе эти характеристики на ком-то сойдутся, то считай, что ты нашла убийцу. А уж за что он доктора приговорил, ты и сама узнаешь, это ты лучше меня умеешь.

Настя ела спагетти и размышляла над тем, что сказал Алексей. Соглашаться с этим или нет — это второй вопрос, а первый состоит в том, что Лешка все-таки мыслит нестандартно, и как хорошо, что он принимает участие в ее работе.

— Кстати, — голос Чистякова вывел ее из задумчивости, — тут еще и аквапарк есть. Можно завтра пойти покататься на аттракционах.

— Ну уж нет, — испуганно отказалась она, — я не любитель драйва, и лишний адреналин мне не нужен, мне и без того хватает.

* * *

Через два столика от Насти и Чистякова, в той же беседке, сидела самая обычная пара, похожая на отдыхающих. Мужчина в джинсах и в футболке с надписью латиницей, невысокий, довольно невзрачный, и крупная женщина с пышным бюстом, одетая так же просто и невыразительно.

— Петенька, отрежь жирный краешек и отложи, тебе нельзя, у тебя холестерин высокий, — сказала дама. — Сколько можно повторять?

— Хорошо, Линда Хасановна, — пряча улыбку, ответил Петенька, — отрежу и отложу.

— И не ерничай, — рассердилась она. — Почему я должна заботиться о твоем здоровье, как будто это мне нужно больше, чем тебе?

— Потому что вам, Линда Хасановна, это нужно больше, чем мне. Вы звонить собираетесь сами или мне поручите?

— Прекрати! — вскипела пышногрудая Линда. — Мы дело делаем, а не в бирюльки играем. Доедай спокойно, жуй как следует, а я пойду позвоню.

Она всегда вскипала и сердилась, когда Петр так разговаривал с ней, а разговаривал он подобным манером почти постоянно. Они были любовниками уже много лет, и все эти годы Линда опекала Петра, называла ласковыми именами, квохтала над ним и проявляла всяческую заботу, а Петр принимал это с изрядной долей иронии, в шутку то и дело называл ее по имени-отчеству и демонстративно слушался. Роли распределили и с удовольствием играли их.

Линда оставила Петра в одиночестве воевать с жирным краем свиной отбивной, взяла сумку и отошла от беседки на приличное расстояние. Укрывшись в тени раскидистого дерева, она бросила взгляд на Настю и Чистякова и достала мобильный телефон.

— Они были в больнице, — сообщила Линда собеседнику. — Да, в той самой... Ну, этого мы не слышали, мы же не можем подойти к ним вплотную... Да ради бога, если вы обеспечите нам технику, то мы сможем представлять более детальные отчеты... Вот именно...

Закончив разговор, она недовольно сморщила носик и сунула телефон в сумку. Требуют, требуют, а чтобы обеспечить всем необходимым — так этого нет.

Когда-то они с Петром работали вместе, она — в инспекции по делам несовершеннолетних, он — в дежурной части районного отдела внутренних дел. И в отставку вышли почти одновременно, сперва Петр, а спустя два месяца и Линда подала рапорт. С тех пор прошло пять лет, и жизнь их за это время стала куда более интересной и, что самое главное, более обеспеченной. У обоих остались крепкие связи в милицейской среде, и теперь Петра и Линду охотно нанимают для осуществления наружного наблюдения и решения всяческих деликатных проблем. Оба они оказались мастерами перевоплощения, Линда, в реальной жизни красивая и яркая, умело меняла одежду и парики, чтобы лицо ее никто не запоминал, а Петр и без того был сереньким и малозаметным. Последнее их поручение — следить за парой москвичей, поселившихся в гостинице

«Райский уголок», и докладывать обо всех их контактах и передвижениях. Задание они получили только вчера вечером, к выполнению приступили сегодня с самого утра, но ничего существенного, кроме посещения больницы, не произошло.

Линда вернулась в беседку и строго посмотрела на Петра. Тарелки были уже убраны.

— Ты жир не ел?

— Не ел, успокойся.

— Десерт заказал?

— Нет, тебя ждал, ты же не оставила никаких распоряжений.

— Петруша!

Он снова насмехается над ее попытками контролировать его питание, а что в этом смешного? Питание — это здоровье, а здоровье — это долголетие. Линда хочет прожить с Петром еще много лет и радоваться жизни, а он этого не понимает и смеется. Вот она посмотрит, как он будет смеяться, когда его подкосит инфаркт или разобьет инсульт! Попомнит он тогда, как она не разрешала ему есть жирное мясо и мазать хлеб сливочным маслом, да поздно будет.

— Что тебе сказали? — поинтересовался Петр.

— Дали ценное указание выяснить содержание их разговоров, — усмехнулась Линда. — Можно подумать, у нас с тобой не уши, а локаторы. Наружное наблюдение — это одна песня, а содержание их интеллектуальных бесед — совсем другая, для этого и техника нужна, и платить за это должны отдельно. Позови официанта, закажем чай.

— И десерт, — лукаво улыбаясь, добавил Петр.

— Никаких десертов, нам с тобой нельзя.

— Ну, тебе нельзя — я понимаю, но мне-то почему нельзя? — возмутился он.

— У тебя холестерин и печень.

— Печень любит сладкое, — возразил он.

— Я сказала «нет»! — отрезала Линда. — Посмотри, как там они, не собираются уходить? Счет еще не просят?

Петр кинул взгляд за ее спину, туда, где сидели объекты их интереса.

— Нет, сидят, болтают. О чем-то умном.

— Почему ты решил?

— У него лицо серьезное, а у нее заинтересованное. Занятная парочка. Как ты думаешь, они спят?

Линда призадумалась. Ей очень хотелось обернуться, чтобы повнимательнее рассмотреть мужчину и женщину, углядеть выражение их лиц и оценить их позу относительно друг друга, но этого делать было нельзя. Пришлось отталкиваться от того, что она уже успела увидеть за минувшие полдня. Но успела она за этот период не очень-то много, объекты ходили по городу, рассматривали дома и все время разговаривали. Ни на минуту не умолкли. Линда припомнила, что, насколько ей удавалось рассмотреть выражение их лиц, разговоры были разные, и легкие, со смешочками, и серьезные. Видно было, что эти люди знают друг друга давно и им есть что пообсуждать. Но никаких «лишних» прикосновений, мимолетных объятий и поцелуев она не наблюдала. Друзья-то они друзья, это очевидно, но вот если и любовники, то с очень большим стажем, когда телесная близость уже почти никакой роли не играет. Точно так же, как у нее с Петрушей: страсть остыла, а теплые близкие отношения остались, и общее дело их связывает, и общий заработок. А это, может быть, даже больше, чем супружество. Давно миновали те времена, когда Линда умирала от желания выйти замуж и обижалась на Петра за то, что он не рвется связать себя узами брака с ней. Теперь им и так хорошо. А зачем ей брак? Однажды она уже была замужем, и ничего хорошего из этого не вышло, кроме сына, который, правда, ее радует. Молодец, мальчик, умничка, учится в Ростове в институте, образование получает, серьезный парень вырос. Кстати...

Она посмотрела на часы и потянулась за телефоном. Сын уже должен прийти с занятий в общежитие, самое время ему позвонить.

— Сыночка, как у тебя дела? Как в институте? Ты покушал? А что ты кушал?

Петр наклонился к ней и тихо прошептал:

— Ты спроси, мягкий ли был стул.

— Какой еще стул? — оторопело переспросила Линда.

— Ну спроси, на горшок он сегодня ходил?

Линда погрозила ему кулаком и продолжала допрашивать сына. Вот всегда Петруша смеется над тем, как она заботится о мальчике, а кто же еще о нем позаботится, если не мать родная? Вообще заботиться о ком-нибудь — это ее стихия, ее призвание. Она обо всех заботится, всех опекает, всех жалеет: и больных, и убогих, и бездомных собак и кошек. А Петеньке смешно...

Петр тронул ее за руку и перевел глаза на столик, где сидели объекты их интереса. Линда поняла, что парочка собирается уходить, пора сворачивать разговор с сыном и расплачиваться, чтобы не потерять их.

* * *

Разобраться с делом Бориса Кротова полковнику Алекперову оказалось не так-то просто. Он широко раскинул сеть, забросив в людские просторы имя Валерия Стеценко, и теперь ждал, когда найдется кто-нибудь, кто поведает ему о далеком прошлом. И такой человек нашелся. Это был некий предприниматель средней руки и солидного возраста, через фирму которого перегоняли контрабанду. Хана предупредили, что о личной встрече с источником не может быть и речи, пусть сформулирует свои вопросы, ответы ему передадут.

Вкупе со сведениями, полученными из сохранившейся у Кротова копии приговора и из других, в том числе и оперативных, источников, картина сложилась примерно следующая. В начале восьмидесятых Стеценко промышлял валютой в крупных размерах и в составе довольно большой преступной группы оказался под следствием по «расстрельной» статье Уголовного кодекса. Дела о валютных операциях в те времена вели следователи КГБ. Долгое время Стеценко выступал только в качестве свидетеля, а когда количество собранных против него улик позволило привлечь его уже в качестве обвиняемого, произошло нечто непонятное, и Стеценко из уголовного дела выпал вообще, даже свидетелем не проходил, словно его и в природе не бывало. А через несколько месяцев после этого он, пижон, модник и любитель ресторанов и роскошных женщин, оказался убийцей своей сожительницы — скромного диспетчера из ДЭЗа. Что за волшебная метаморфоза? Почему он исчез из уголовного дела и из шикарной жизни в целом и стал вести жизнь скромного, но много пьющего работяги? Может быть, это не один и тот же человек, а два совершенно разных, но с одинаковым комплектом документов? Эх, найти бы фотографию Стеценко того периода, когда он еще был процветающим валютчиком, и сравнить с фотографией человека, убитого месяц назад в Грохольском переулке. Кстати, надо показать фотографию с места убийства Кротову и посмотреть, опознает ли он в убитом постаревшего «дядю Валеру». Возможно, людей с документами на имя Валерия Стеценко вообще не двое, а даже трое? Что-то в этом деле здорово не так.

* * *

Борис снял ткань с готового портрета и повернул подрамник так, чтобы гость смог увидеть работу, которая была готова еще полтора месяца назад, но которую заказчик все никак не мог забрать, ибо находился в долгосрочном путешествии по Южной Америке. Тот долго рассматривал поясной портрет молодой девушки в турецком национальном костюме — такова была его прихоть. Потом шумно и с хрюканьем расхохотался.

— То-то я смотрю, что я никак с ней договориться не могу, а она, оказывается, просто дура и сука! И как это я не видел раньше? Ведь я же ее физиономию каждый день созерцаю, а ничего не понял, пока на твой портрет не взглянул. Ну, ты гигант, Боря, ну, ты и талантище! Выгоню я ее к чертовой матери, пусть в другом месте дураков ищет и свою сучью сущность применяет. Все, решено, выгоню.

— Может, не стоит делать такие резкие движения? — улыбнулся Кротов. — Я ведь не пророк, могу и ошибаться.

— Да нет, брат, ты не ошибаешься, все так и есть, как ты срисовал. Теперь-то мне все понятно... Слушай, — внезапно оживился заказчик, — ты же типа Фрейд получаешься. А у меня тут один перец есть, я с ним никак общий язык не найду, давай я тебе его сблатую, подгоню, а ты его срисуешь, лады? Может, ты в нем что-то такое увидишь, на чем я сыграть смогу, чтобы с ним договориться, а?

Этого еще не хватало! На такое использование своего таланта Борис Кротов не рассчитывал, и перспектива ему совсем не понравилась. Это же что-то вроде шпионажа получается. Гадко, мерзко.

Он начал отказываться, но заказчик продолжал уговаривать его энергично и многословно. Борис занервничал, отказывать он не любил — можно было потерять клиентуру и, соответственно, заработок, но и браться за такую работу ужасно не хотелось. Кроме того, время шло, уже десять минут четвертого, а в три часа он должен был звонить Хану, они так договорились. Опаздывать и нарушать договоренности Кротов тоже не любил. Ну когда же этот тип отстанет от него!

Но заказчик все не отставал, и Борис, скрипнув зубами, согласился написать портрет «одного перца», если тот, конечно, захочет.

— Он захочет, ты не сомневайся, — обрадовался заказчик. — Уж я найду, что ему сказать.

И потом, про тебя и так все знают, у тебя же репутация, к тебе очередь стоит, а я ему скажу, что ты его возьмешь без очереди...

— Нет, так не годится, я никого не беру без очереди, — возразил Борис. — Именно поэтому у меня и репутация. Если хотите, я вам скажу, чей заказ у меня следующий, а вы с ним сами договаривайтесь. Иначе никак не получится.

— Да договорюсь я, делов-то! — фыркнул заказчик. — Неустойку заплачу — и всех проблем. Давай, говори, кто там у тебя на очереди.

— Сейчас я работаю для Артура, а потом...

Борис заглянул в записную книжку, назвал имя и с облегчением выпроводил заказчика, уносящего с собой готовый холст. Обычно Борис отдавал свои работы без багета, заказчики сами этим занимались исходя из собственных вкусов и оформления интерьера того помещения, где предполагалось вешать портрет.

Хану он позвонил с опозданием на двадцать минут и чувствовал себя виноватым.

— Есть кое-какая информация, — сообщил Алекперов, — довольно любопытная. И еще надо, чтобы ты взглянул на одну фотографию. Дело малоприятное, но нужное. Так что придется встречаться.

— Когда и где? — с готовностью отозвался Кротов.

Они встретились тем же вечером все на той же квартире. Борис взглянул на фотографию мертвого мужчины и с трудом сдержал стон. Да, это он, дядя Валера, человек, который убил маму. Вот и его настигла такая же страшная смерть. Что это? Справедливость? Возмездие? Или просто игра судьбы?

— Ну, что? — с нетерпением спросил Хан.

— Это он, — выдавил Кротов.

— Точно? Ошибки быть не может? Все-таки двадцать четыре года прошло, и он изменился, и ты тогда совсем маленьким был, мог забыть.

— Я ничего не забыл, — твердо ответил Борис. — И ничего не путаю. Ты же знаешь, для меня лица — как для некоторых слова. Конечно, он постарел, спору нет, но это точно он.

— Ладно, — вздохнул Хан. — Будем думать. В этом деле много непонятного.

По дороге домой Борис не мог отделаться от стоящего перед глазами мертвого лица. Это он убил маму... Маму, такую красивую, такую добрую и веселую, от которой всегда так хорошо пахло.

Он до сих пор отчетливо помнил тот страшный день, когда это случилось. Мама забрала его из детского садика и привела домой, от нее пахло вином и еще чем-то незнакомым. Дома она сразу принялась готовить еду, а вскоре пришел дядя Валера и принес несколько бутылок. Мальчик уже умел читать и смог прочесть надпись на этикетках: «Водка «Московская». Мама накормила его ужином и велела идти играть в комнату, а сама осталась на кухне с дядей Валерой. Они громко разговаривали, но мальчик включил телевизор и стал смотреть мультики, а когда мультики кончились, открыл альбом, достал цветные карандаши и начал рисовать. Он рисовал всегда, если не смотрел мультфильмы, кроме этих двух занятий, ему мало что было интересно.

Потом доносящиеся через стенку голоса стали громче, загрохотал резко отодвинутый и упавший на пол стул, дверь в комнату распахнулась и вбежала мама, а следом за ней дядя Валера, который размахивал большим ножом и кричал, что убьет... прирежет... суку... проститутку... Мама вжалась в угол и закрыла лицо руками, а дядя Валера все размахивал ножом и страшно кричал... Потом так же страшно завизжала мама, и брызнула кровь. Мама упала и стала ползти к двери, а дядя Валера еще несколько раз ударил ее ножом, и только когда мама затихла и больше не двигалась, он рухнул на пол и закрыл лицо руками. А потом в дверь стали звонить соседи, которые услышали крики и вопли. Кричал ли он сам, Борис не помнил. Он помнил только свое оцепенение, когда руки и ноги не двигались и ужас застрял в горле шершавым горьким комком. Этот комок он иногда ощущает и сейчас, во сне, когда ему видятся кошмары, и наяву, когда вспоминает маму.

Ну что, что нового может рассказать ему неизвестный автор писем? Что он знает такого, чего не знает сам Кротов? Даже если Хан окажется прав и выяснится, что валютчик Стеценко и убийца Стеценко — это два разных человека, что интересного в этом для Бориса? Его маму убили, зарезали на его глазах, убийца понес заслуженное наказание, и ничего неожиданного тут быть не может. Ну, допустим, Стеценко кому-то рассказал подробности совершенного убийства, например, тому, с кем подружился на зоне, когда отбывал наказание, ну и что? Борис и сам эти подробности знает. Конечно, он был слишком мал, чтобы понимать, почему дядя Валера называл маму сукой и проституткой, но теперь-то он уже взрослый и прекрасно понимает, что, наверное, мама дала ему повод. Она была очень красивой, и, вероятно, мужчины за ней активно ухаживали. Может быть, речь идет именно об этих подробностях? Но зачем они Кротову? Что они изменят в его жизни? И, кроме того, Борис не хочет их знать, для него мама была и остается самой нежной и красивой на свете, и никакие сведения о ее поклонниках и поведении, давшем повод для ревности, ему не нужны. Уж во всяком случае, платить за них деньги он никак не намерен.

Но кто же все-таки пишет эти письма?

Литературно-художественное издание

КОРОЛЕВА ДЕТЕКТИВА

Александра Маринина

ЛИЧНЫЕ МОТИВЫ
Том 1

Ответственный редактор *А. Дышев*
Редактор *Г. Калашников*
Художественный редактор *А. Сауков*
Технический редактор *Н. Носова*
Компьютерная верстка *И. Кобзев*
Корректор *М. Мазалова*

ООО «Издательство «Эксмо»
127299, Москва, ул. Клары Цеткин, д. 18/5. Тел. 411-68-86, 956-39-21.
Home page: **www.eksmo.ru** E-mail: **info@eksmo.ru**

Подписано в печать 03.12.2010. Формат 84×108¹/₃₂.
Гарнитура «Newton». Печать офсетная. Бум. офс. Усл. печ. л. 18,48.
Тираж 210000 экз. Заказ 4434.

Отпечатано в ОАО «Можайский полиграфический комбинат».
143200, г. Можайск, ул. Мира, 93.
www.oaompk.ru, www.оаомпк.рф тел.: (495) 745-84-28, (49638) 20-685

ISBN 978-5-699-46877-5

9 785699 468775 >